Auteurs **J.B. DJIAN** & **OLIVIER LEGRAND**
Illustrateur **DAVID ETIEN**
Consultante victorienne **SYLVIE IATTONI**

VENTS D'OUEST

Un grand merci à tous ceux qui auront permis de près ou de loin que cet album un peu spécial voie le jour. Notamment Florian notre consultant rôliste.

Ainsi que les trois énergumènes de l'atelier, Elvire, Mehdi et Fred, pour leurs encouragements et leurs conseils.

Sans oublier Maximilien pour sa documentation sur le zoo de Londres.

D. Etien

Librement inspiré de l'œuvre
d'Arthur Conan Doyle.

© 2013, Éditions Glénat / Vents d'Ouest
Couvent Sainte-Cécile
37, rue Servan - 38000 Grenoble

www.ventsdouest.com

Dépôt légal : avril 2013
ISBN : 978-2-7493-0723-7
Achevé d'imprimer en avril 2013 en Belgique par Lesaffre,
sur papier provenant de forêts gérées de manière durable.

LE MONDE DES QUATRE DE BAKER STREET

SOMMAIRE

BIENVENUE À LONDRES

L ondres et Sherlock Holmes : ces deux noms évoquent à eux seuls des images de rues noyées dans le brouillard, à peine éclairées par la lueur des becs de gaz – des rues où rôdent le mystère, le crime et le danger… Mais le Londres de l'ère victorienne est aussi la capitale d'un empire, une métropole pleine de vie, de bruit et d'activité, avec ses théâtres, ses parcs, ses crieurs de journaux, ses omnibus tirés par des chevaux et, déjà, son métro souterrain. Dans les années 1890, à l'époque des aventures de Billy, Black Tom et Charlie (sans oublier le matou Watson !), Londres, qui compte déjà plus de 4 millions d'habitants, est tout simplement la plus grande ville du monde…

Une Ville, Quatre Univers

Pour la plupart des Londoniens, Londres se divise en quatre mondes bien différents, qui représentent chacun une facette de cette extraordinaire ville-univers :

La City of London ne couvre en réalité qu'un territoire très petit, situé au centre de la capitale. C'est le quartier des affaires, des banques et de la Bourse ; on y trouve également la célèbre cathédrale St Paul, que l'on aperçoit en arrière-plan de la couverture du *Dossier Raboukine*. Véritable cité dans la cité, la City of London constitue, avec Westminster, un des deux cœurs de Londres ; à la lisière des deux quartiers s'élève la principale cour de justice criminelle de Londres, plus connue sous le surnom d'Old Bailey.

Séparée de la City par la fameuse avenue du Strand, Westminster est la cité du pouvoir : c'est là que se trouvent le palais royal et l'abbaye du même nom, mais aussi les quartiers de Whitehall, qui abrite le Parlement et de nombreux ministères, et de Pall Mall, renommé pour ses clubs de gentlemen. Dans l'univers de Sherlock Holmes, cette facette de Londres est incarnée par le frère du célèbre détective, Mycroft Holmes, employé ministériel à l'influence étonnante et membre fondateur du très select club Diogène.

Le West End est, comme son nom l'indique, la partie la plus à l'ouest de la capitale. C'est le Londres des théâtres et des galeries d'art, de la vie nocturne trépidante et des lieux de plaisir, avec des quartiers réputés comme Covent Garden ou le très chic Mayfair. Dans l'univers des Quatre de Baker Street, c'est là que se trouve le discret établissement de la redoutable miss Sharp, dont nos héros parviennent à faire échapper la malheureuse Betty, dans le premier tome de leurs aventures, *L'Affaire du Rideau bleu*.

À l'opposé, l'East End est le Londres des bas-fonds, des taudis et des coupe-gorges. Dans ce dédale urbain se croisent toutes sortes de misérables : malfrats et travailleurs, vagabonds et immigrants, filles du pavé et gosses des rues… Au cœur de l'East End se trouve le tristement célèbre quartier de Whitechapel, qui fut le terrain de chasse de Jack l'Éventreur. C'est dans cet environnement marqué par la pauvreté et la violence qu'ont grandi nos héros, Billy, Charlie et Black Tom, mais aussi le terrifiant Bloody Percy ou la charmante Grace Corbett, alias le Rossignol de Stepney.

Enfin, aucun portrait de Londres ne serait complet sans sa légendaire Tamise, ses eaux noires et ses quais embrumés…

Les Transports Londoniens

En cette fin du XIXᵉ siècle, l'attelage règne encore en maître dans les rues de Londres.

Les deux types d'attelages les plus courants sont le cab Hansom et le fiacre Clarence. Le Hansom est une petite voiture à deux roues et un seul cheval, dont le cocher se tient derrière la cabine où prennent place les passagers ; léger, maniable et rapide, il est le véhicule de prédilection des Londoniens pressés mais ne peut normalement accueillir que deux passagers. Lorsqu'il s'agit de transporter un petit groupe de personnes à travers la capitale, c'est le robuste fiacre Clarence qui s'impose, avec ses quatre roues et son cocher assis à l'avant. À cela s'ajoutent les attelages personnels des aristocrates et autres personnages fortunés, souvent ornés des armoiries familiales. Éléments essentiels de la vie sociale de la *upper class*, ces voitures de luxe sont évidement soumises à une étiquette des plus strictes, les attelages « de sport » étant généralement réservés aux jeunes hommes, tandis que les ladies comme il faut doivent leur préférer de respectables attelages couverts, dont l'intérieur peut être aménagé comme un véritable petit salon.

Il existe également deux grands types de transports en commun tirés par des chevaux : les omnibus (déjà connus sous leur nom abrégé de « bus ») et les trams hippomobiles. L'omnibus classique peut transporter une bonne vingtaine de passagers, répartis entre l'intérieur et sa plateforme supérieure.

Le tram hippomobile, quant à lui, permet de transporter une soixantaine de passagers par voiture ; plus spacieux, moins inconfortable et meilleur marché que l'omnibus, il s'est rapidement imposé comme un des principaux moyens de transport en commun dans la capitale.

À la fin du XIXe siècle, quelques trams à vapeur ont fait leur apparition, mais les Londoniens s'en méfient, les trouvant bruyants, cahoteux et moins sûrs que les bons vieux trams hippomobiles… et l'on imagine déjà, à l'aube du XXe siècle, de futures lignes de trams électriques. Qui sait où s'arrêtera la course folle du progrès ?

Le XIXe siècle est aussi le siècle du train, une invention qui a changé à jamais le paysage de Londres. Aux nombreuses voies ferrées qui partent des différentes gares de Londres (comme Waterloo Station, St Pancras, King's Cross et, bien sûr, Victoria Station) s'ajoute le réseau souterrain du métro, une des grandes innovations des années 1860. À l'époque de Sherlock Holmes, le métro fait déjà partie du quotidien des Londoniens et charrie plus de 40 millions de passagers par an.

AU TEMPS DE LA REINE VICTORIA…

L'époque victorienne correspond, comme son nom l'indique, au règne de la reine Victoria, la souveraine la plus célèbre de l'histoire britannique. Son titre officiel était reine du Royaume-Uni, de Grande-Bretagne et d'Irlande ; à cela s'ajoutait le titre au moins aussi impressionnant d'impératrice des Indes.

Née en 1819, Victoria est couronnée en 1838, à l'âge de 19 ans ; elle occupera son trône jusqu'à sa mort, en 1901. Son règne, long de plus de 60 ans, marquera l'apogée de la puissance de l'Empire britannique, un véritable âge d'or durant lequel la Grande Bretagne rayonnera sur le monde entier. Ses colonies s'étendent alors du Canada à l'Australie, en passant par l'Afrique, le Moyen-Orient et l'Inde, formant « un empire sur lequel le soleil ne se couche jamais », pour reprendre une formule très en vogue à l'époque.

Après la mort de son époux le prince Albert en 1861, la reine Victoria, inconsolable, décide de se retirer de la vie publique du royaume et portera le deuil jusqu'à la fin de ses jours. La « veuve de Windsor » devient alors pour ses sujets l'objet d'un véritable culte, le symbole vivant d'une Angleterre éternelle, la mère bien-aimée de toute une nation.

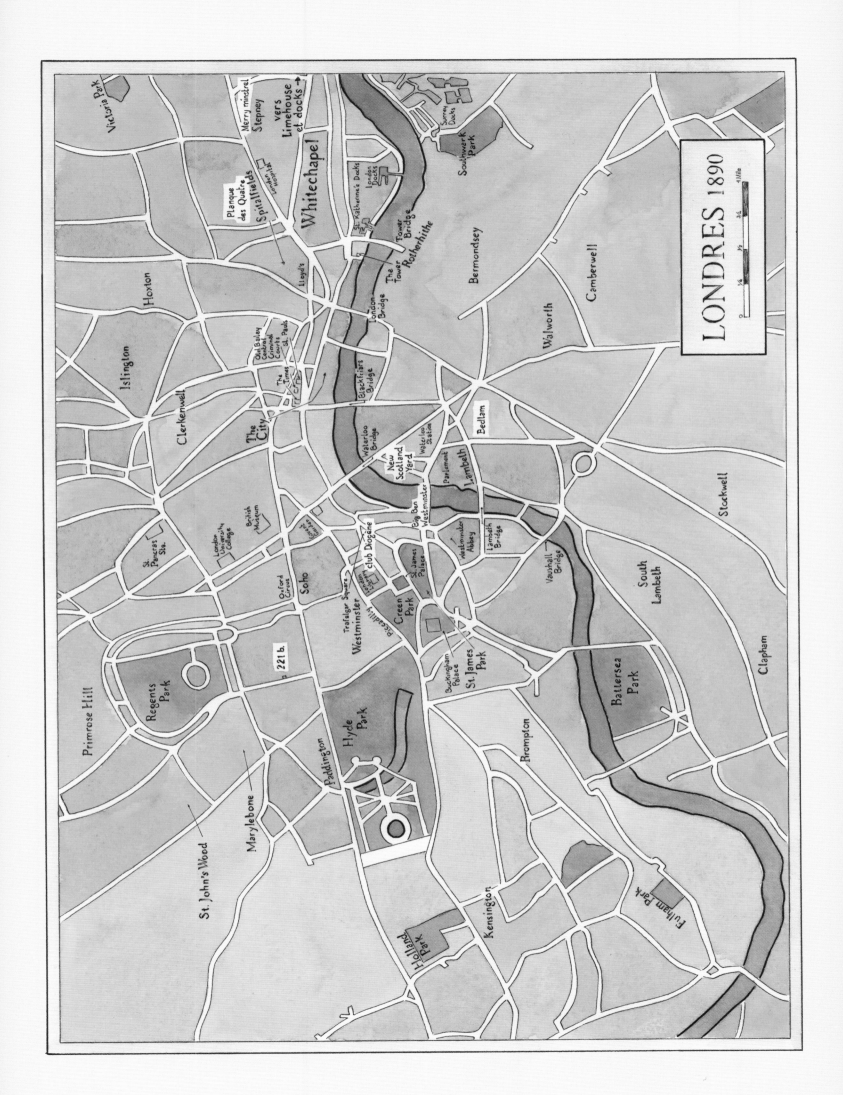

SHERLOCK HOLMES

Nul besoin de présenter Sherlock Holmes, le plus illustre des détectives de l'époque victorienne ! Pour les habitants du Londres des *Quatre de Baker Street*, Sherlock Holmes est une légende vivante.

Holmes ne se définit pas comme un simple détective privé, mais comme un détective conseil (ou, dans la langue d'Arthur Conan Doyle : *consulting detective*), c'est-à-dire comme un spécialiste que ses clients viennent consulter et qui est libre d'accepter ou de refuser l'affaire qu'ils lui soumettent, ainsi que de fixer ses propres conditions. Même si l'exercice de sa profession lui permet apparemment de vivre fort confortablement, Holmes n'est pas motivé par l'appât du gain, mais bien par « l'amour de l'art » ; ce ne sont pas les affaires les plus rentables qui l'intéressent, mais celles qui, par leur caractère extraordinaire ou improbable, présentent un défi à la mesure de ses prodigieuses facultés.

Héros victorien par excellence, Holmes possède toutes les caractéristiques du génie excentrique. Génie, parce que son esprit d'analyse proprement phénoménal lui a permis de hisser le métier de détective au rang de véritable science. Mais c'est surtout par son sens de l'observation qu'il stupéfie ceux qui viennent lui demander son aide au 221b Baker Street : combien de fois a-t-il déduit le métier, les habitudes ou même le passé d'un client en étudiant sa tenue vestimentaire, sa démarche ou tel détail apparemment anodin de sa physionomie ? Pour Sherlock Holmes, l'observation est un art et la déduction est une science. Criminologue averti et chimiste accompli, Holmes est également un des pionniers de ce que l'on n'appelle pas encore l'analyse de scène de crime. Oubliez les « mentalistes » et autres « experts » : Sherlock Holmes reste le roi des détectives !

Excentrique, Holmes l'est certainement, par son comportement souvent surprenant, voire cavalier, avec ses semblables (à commencer par ce brave docteur Watson), ses humeurs changeantes pouvant le faire passer de l'enthousiasme frénétique à la déprime profonde, mais aussi par ses hobbies aussi variés que l'étude du violon, des différentes sortes de tabacs ou des techniques de lutte orientale. Et que penser d'un homme qui, pour passer le temps, s'amuse à écrire « V R » (initiales de « Victoria Regina », c'est-à-dire la reine Victoria) sur le mur de son appartement… à coups de balles de pistolet ?

HOLMES ET LES FEMMES

Sherlock Holmes est ce que l'on appelle communément un célibataire endurci et ne semble manifester que peu d'intérêt pour la gent féminine (au contraire de ce bon docteur Watson, toujours prêt à jouer les chevaliers servants avec les jolies femmes).

Il existe cependant une exception à cette règle : la fascinante Irène Adler, cantatrice américaine, aventurière et femme fatale, dont Sherlock croisera le chemin lors de la célèbre affaire du *Scandale en Bohème*… et qui parviendra à le mettre en échec, lui, le roi des détectives !

Beau joueur, Holmes gardera pour elle une admiration sincère, peut-être teintée d'un sentiment plus profond. Comme le remarque Watson dans son récit : pour Sherlock Holmes, Irène Adler sera toujours LA femme.

LA PART D'OMBRE

Comme tous les grands personnages, Holmes possède aussi sa part d'ombre. Dans *Le Signe des Quatre*, une de ses premières aventures, nous apprenons que le brillant détective s'administre régulièrement des injections de cocaïne (la fameuse « solution à 7 % ») lorsqu'il ne parvient plus à lutter contre l'ennui et la déprime. À l'époque victorienne, cette déplorable habitude n'est pas considérée comme illégale, mais la toxicomanie de Holmes met évidemment en danger sa santé physique et nerveuse, ce qui cause de sérieuses inquiétudes à son fidèle ami le docteur Watson.

LA BANDE DES QUATRE

Nos héros font partie des francs-tireurs de Baker Street (aussi appelés « irréguliers de Baker Street »), une compagnie de gosses des rues recrutés et employés par Sherlock Holmes en tant que « police auxiliaire », c'est-à-dire pour lui servir de guetteurs, de messagers, de pisteurs et, parfois, l'assister dans certaines de ses investigations, tout particulièrement lorsque celles-ci l'amènent à enquêter dans les bas-fonds de Londres, un environnement que ces gamins futés et débrouillards connaissent comme leur poche.

BILLY

De son vrai nom William Fletcher, Billy se voit comme l'intellectuel du groupe : il sait lire et écrire, s'exprime avec aisance et possède une vraie vocation de détective. Il voue une admiration sans bornes à M. Holmes, qu'il considère comme son mentor, et sans doute aussi comme le père qu'il n'a jamais connu. Il collectionne d'ailleurs soigneusement toutes les coupures de journaux qu'il peut dénicher sur son modèle. Comme tous les francs-tireurs, Billy a eu une enfance difficile, avec son lot de drames et d'épreuves ; nous en découvrons quelques fragments dans *Le Dossier Raboukine*, lorsqu'il assiste avec ses amis à l'enterrement de la vieille Sally… mais si vous voulez connaître toute l'histoire, rendez-vous page 14.

BLACK TOM

Black Tom, alias Tommy O'Rourke, est la forte tête et le casse-cou de la bande. C'est un monte-en-l'air de premier ordre, doté d'une agilité exceptionnelle et jouant volontiers les acrobates sur les toits de Londres. D'origine irlandaise, Tom a souvent été confronté aux préjugés de nombreux Anglais de cette époque, pour qui les Irlandais ne sont qu'un ramassis de canailles à peine civilisées. Ballotté entre ses cousins de Kilburn (dont nous faisons enfin la connaissance dans *Les Orphelins de Londres*) et la cour des miracles de Patch, le roi des mendiants londoniens (voir *L'Affaire du Rideau bleu*), Tom a connu des débuts difficiles. Pour en savoir plus sur son enfance et son arrivée au sein des francs-tireurs de Baker Street, voir page 38.

CHARLIE

Charlie se prénomme en réalité Charlotte car Charlie est une fille, ce qu'ignorent la plupart des gens qui la croisent dans la rue. Même Billy n'y a vu que du feu, au début. Pourquoi donc se déguise-t-elle en garçon ? Pour qu'on la laisse tranquille, mais aussi, tout simplement, parce que c'est un garçon manqué. Elle n'a rien, en revanche, d'une tête brûlée ; beaucoup plus posée que Black Tom et au moins aussi futée que Billy, elle joue souvent les arbitres lorsque « l'intello » et « l'Irlandais » se prennent la tête. Comme ses deux amis, Charlie n'a pas été épargnée par la vie ; dans *Le Rossignol de Stepney*, nous découvrons sa mère, internée dans le terrible asile de Bedlam. Pour connaître toute l'histoire, rendez-vous page 50.

WATSON

Attention à ne pas confondre ce Watson-là, un matou, avec le docteur du même nom ! Trouvé et adopté par Charlie lors de *L'Affaire du Rideau bleu*, ce chat de gouttière s'avère un compagnon aussi fidèle que malin – même si, comme tous les chats, sa curiosité le pousse parfois tout droit dans les ennuis. Pour Tom et Billy, Watson n'est que le chat de Charlie (sans doute un truc de fille, se disent-ils, pour une fois bien d'accord entre eux), mais comme Charlie, nous savons que Watson est l'indispensable quatrième membre du quatuor, celui sans qui *Les Quatre de Baker Street* n'existeraient pas !

MES MÉMOIRES

Par William Fletcher, assistant personnel de M. Sherlock Holmes

CHAPITRE I

« Londres est une ville à plusieurs étages. Et toi, Billy, dis-toi que tu vis au sous-sol. »C'est ce que me racontait le vieux Cracknell les nuits où il s'asseyait sur le pavé parce qu'il était trop soûl pour rentrer chez lui. Et puis, juste avant de s'écrouler, il ajoutait avec malice : « Mais rassure-toi, il y a encore un étage en dessous. Sous toi, petit, c'est les égouts... »

Un jour, je ne devais pas avoir plus de 5-6 ans, les flics m'ont questionné parce que j'étais censé être le dernier à l'avoir vu vivant, le vieux Cracknell.

Un couteau avait été retrouvé dans son dos, et les cadors de la Metropolitan Police of London étaient pratiquement sûrs qu'il n'avait pas pu se faire ça tout seul. Alors, ils m'ont interrogé pour voir si je n'avais rien remarqué d'anormal, la veille ou l'avant-veille. Mais de toute façon, l'East End, avec ou sans Cracknell, ça n'avait pas grande importance pour eux.

Une demi-heure plus tard, l'affaire était classée.

Après ça, j'avais plus personne à écouter, la nuit, en attendant que Maman ait fini son travail. Ma mère, elle est au ciel, maintenant. Elle s'appelait Molly Fletcher ; Fletcher, c'était son nom de jeune fille, et si je m'appelle comme ça, moi aussi, c'est parce que Londres est pleine d'enfants qui ne connaissent pas leur père. Maman, elle passait ses nuits à arpenter le pavé de Whitechapel et de Spitalfields, en attendant le client. Quand elle rentrait, tard dans la nuit ou très tôt le matin, je faisais semblant de dormir et je l'écoutais prier Dieu pour qu'il nous donne une chance, un jour... Pour elle, le monde se divisait en deux catégories : les veinards et les autres...

Une de ses collègues qui m'avait à la bonne m'avait raconté le début de mon histoire, le pourquoi du comment de tous nos déboire : au départ, Maman était bonniche chez des rupins, logée au grenier et nourrie à l'office. Elle n'avait pas 20 ans et travaillait dur depuis qu'elle était toute petite, mais tout se passait bien, jusqu'au jour où le fils de la maison, un gandin qui étudiait à Cambridge, s'est mis à lui tourner autour. Maman, elle le voyait venir, mais comment faire pour éviter les mains baladeuses quand leur propriétaire peut vous faire virer en une minute ? Ce qui devait arriver arriva, comme on dit... et Molly Fletcher s'est retrouvée enceinte. De moi. Dès que son ventre a commencé à s'arrondir, les rupins l'ont mise à la porte. Pas de place pour les traînées sous notre toit, qu'ils ont dit. Virée sans gages, sans références et avec un marmot à venir – autant dire qu'elle pouvait

toujours courir pour retrouver une place. C'est comme ça qu'elle est arrivée sur le pavé de Whitechapel – et c'est là où je suis né.

Elle vivait dans un galetas au fond d'une cour, avec moi et d'autres filles qui faisaient le même métier qu'elle. C'était une femme simple, ma mère, mais elle avait du bon sens et de la volonté à revendre. Elle s'était mis dans la tête que les gens instruits s'en sortent mieux que les autres et, dès que j'ai été en âge, elle m'a obligé à fréquenter l'école de charité de Burley Street pour enfants nécessiteux : un endroit d'un ennui mortel, avec un pasteur et des bourgeoises acharnées de la charité, mais c'est là que j'ai appris à lire et à écrire, et ça, ça vous change un homme.

Mais quand on vit la vie que nous vivions, à part le malheur, rien ne dure bien longtemps. Je n'avais pas 9 ans quand je me suis retrouvé seul. Une mauvaise angine de poitrine a emporté ma mère. Les médecins appellent ça une pneumonie ; moi, je sais que c'est le pavé et tout le reste qui l'ont tuée.

Il allait bien falloir que je me débrouille tout seul – mais sans « mal tourner », ce qui est sacrément duraille quand on se retrouve orphelin dans l'East End. Dans les derniers temps, Maman m'avait fait promettre de devenir « quelqu'un de bien ». « Tu as de l'instruction, Billy Fletcher. Tu vas faire quelque chose de ta vie ou bien c'est moi qui viendrai te tirer les oreilles ! » Maintenant qu'elle n'était plus là, j'avais bien l'intention de ne pas la décevoir. J'étais persuadé qu'elle me surveillait déjà de là-haut…

Pendant quelque temps, j'ai fait le garçon de courses pour des commerçants du quartier. La plupart m'avaient à la bonne, en souvenir de Molly, « une brave fille ». Et puis, sans me vanter, j'étais un peu plus futé que la moyenne de mes collègues – avec en prime une réputation de petit gars honnête. Bref, ça se passait plutôt bien, mais je me voyais pas faire ça toute ma vie.

À cette époque-là, je logeais dans un petit appentis, derrière l'arrière-boutique d'un de mes employeurs, M. Smithers, l'épicier. C'était pas grand-chose, mais c'était chez moi et c'était tranquille. Je commençais juste à m'habituer au confort et à la sécurité quand, un soir, après ma journée de boulot, j'aperçois un type qui semble m'attendre. Plus vieux que moi : à vue de nez, je lui donne 12-13 ans. Je n'aime pas trop la façon dont il me regarde : il me fixe comme pour soupeser ce que j'ai dans le ventre. Je m'approche de lui, sur la défensive, quand il me lance un « Hello ! » avec un petit sourire en coin. Il se présente : « Je m'appelle Wiggins, tu as sans doute entendu parler de moi… » Je lui dis que non, il a l'air un peu vexé, mais il continue : « Moi, j'ai entendu parler de toi, Billy Fletcher. Il paraît que t'es un gars malin et franc du collier. Et j'aurais besoin d'un type qui sait lire et écrire dans mon équipe… » Quand il commence à me parler d'équipe, je me dis que ce Wiggins est à la tête d'un gang de voleurs – comme les gamins dans ce bouquin de Charles Dickens, *Oliver Swift* ou quelque chose comme ça.

Je lui réponds que ça ne m'intéresse pas, que j'ai déjà un travail honnête et que je ne cherche pas les embrouilles.

« T'as rien compris ! s'esclaffe alors Wiggins avec un petit air fier de lui. Je travaille pour un gentleman. Monsieur Holmes, le célèbre détective conseil. T'as qu'à m'accompagner chez lui : il veut toujours rencontrer les nouvelles recrues. Il perche à Baker Street. Viens, je t'expliquerai le boulot en route… »

Sur le moment, je ne lui dis pas que je n'ai jamais entendu parler d'un « Monsieur Holmes » et que je n'ai pas la moindre idée de ce qu'est un « détective conseil » : les seuls détectives que je connaisse, c'est ceux de la police, mais comme ce ne sont pas des gentlemen, il veut sûrement parler d'autre chose. De toute façon, pas besoin de questionner Wiggins : il est tellement bavard qu'il m'explique tout ce que j'ai besoin de savoir – qu'un détective conseil, c'est comme un genre d'enquêteur privé, mais plus chic. Et que M. Holmes est le meilleur des détectives conseil de tout Londres vu que c'est le seul et que c'est même lui qui a inventé ce métier. Quand on arrive au 221b Baker Street, Wiggins m'a déjà affranchi sur ce que M. Holmes appelle ses « francs-tireurs » : des gamins des rues, comme nous, qu'il emploie pour des missions de surveillance, des filatures et autres petits boulots du même genre.

La logeuse qui nous ouvre nous regarde d'un œil sévère, avant de nous mener vers l'escalier le mieux briqué que j'aie jamais vu. J'apprendrai plus tard qu'elle s'appelle Mme Hudson et qu'elle fait les meilleurs gâteaux du monde mais pour l'instant, je ne pense qu'à la musique qu'on entend résonner dans toute la maison – c'est du violon, mais ça n'a rien à voir avec ce que jouent les violoneux des rues de l'East End. « C'est de la musique classique,

me dit Wiggins d'un air de connaisseur. M. Holmes connaît tout un tas de trucs sur la musique, le tabac et la chimie. Cherche pas à comprendre. Je lui ai rien dit sur toi… mais tu vas voir, il va te calculer en trois secondes. T'as jamais rencontré quelqu'un comme lui. »

Sur le moment, je ne pige pas ce qu'il veut dire. On entre dans le salon – un bazar comme j'en ai jamais vu : des papiers étalés partout, des bouquins posés par terre, des tabatières en pagaille et même un chapeau avec une perruque qui traîne sur un fauteuil… mais moi, c'est le violoniste que je regarde. Je n'ai jamais vu un type comme lui. Il relève son archet et me reluque des pieds à la tête, pendant quelques secondes, avant de commencer à fourrager dans ses dossiers, l'air absorbé, comme si Wiggins et moi on n'était plus là. Puis, sans lever les yeux de ses papiers, il se met à parler – et cette conversation va changer ma vie. Je me rappelle chaque mot – c'est gravé dans ma mémoire, comme on dit.

« Comment vous appelez-vous ?

– William Fletcher, monsieur, mais tout le monde m'appelle Billy et je…

– N'en dites pas plus, jeune Billy Fletcher ! Je remarque que vous êtes garçon de courses, lettré et désireux de mener une existence honnête… et que vous avez récemment eu le malheur de perdre votre mère. Je vous présente mes condoléances… »

Sur le moment, je crois qu'il veut dire « je sais » et pas « je remarque » ; je me dis que Wiggins m'a raconté des bobards et l'a déjà affranchi sur mon compte, mais le violoniste continue sur sa lancée :

« L'art de l'observation, maître Fletcher ! Vos pauvres chaussures sont manifestement usées par le pavé de Londres mais d'une manière qui suggère la course plutôt que la marche… et comme votre visage est raisonnablement débarbouillé, j'en déduis que vous passez votre temps à courir non pour prendre la fuite mais pour gagner votre vie honnêtement. Quant aux taches d'encre sur vos doigts, elles trahissent évidemment la lecture de quelque gazette… »

Là, j'en reste comme deux ronds de flan ; Wiggins, lui, a retrouvé son petit sourire et je dois dire que tout ça m'énerve un peu.

« Et pour ma mère ? je demande, avec moins d'aplomb que j'aurais voulu. Comment vous savez ? »

– Vous portez au col de votre veste un petit morceau de ruban noir dont l'étoffe et la dimension indiquent clairement qu'il provient d'un bonnet de femme…

Je voudrais dire quelque chose, mais je n'y arrive pas. Je revois ma mère et j'ai l'impression de l'entendre me dire qu'il faut que je devienne quelqu'un de bien. M. Holmes me regarde de nouveau, d'une autre façon cette fois-ci, comme s'il devinait à quoi j'étais en train de penser. Wiggins avait raison : je n'avais jamais rencontré quelqu'un comme ça.

Je m'entends dire à voix haute : « Quand est-ce que je commence ? »

– Pourquoi pas après ce thé et ces scones que l'excellente madame Hudson va nous apporter d'ici environ deux minutes ? » répond M. Holmes en rangeant son violon.

Le reste, comme on dit, appartient à l'Histoire…

L'EAST END

À l'époque victorienne, l'Est de Londres est un lieu de détresse sociale, ravagé par la misère, le crime, la maladie, la prostitution et tous les autres fléaux liés à la grande pauvreté urbaine. Beaucoup de Londoniens des beaux quartiers ont alors bien du mal à imaginer (ou à admettre) qu'à quelques rues de leurs tranquilles demeures, au cœur même de la capitale du plus grand empire du monde, se trouve un abîme de misère, où s'entasse toute une population d'hommes, de femmes et d'enfants obligés de lutter quotidiennement pour survivre. Si l'East End est un enfer, ceux qui le peuplent sont les damnés de Londres, les laissés-pour-compte du grand rêve victorien.

En suscitant d'innombrables articles dans la presse, les épouvantables meurtres de Jack l'Éventreur contribueront, assez ironiquement, à ouvrir les yeux de nombreux Anglais sur la réalité des conditions de vie dans l'East End et, peu à peu, les mentalités commenceront à évoluer. On verra alors de plus en plus de riches philanthropes, de ladies de l'aristocratie ou de bourgeoises de la *middle class* s'impliquer dans des œuvres de charité destinées à sauver les filles perdues de l'East End, à éduquer les enfants des rues ou à soigner les vieillards et les malades... Mais la charité victorienne se préoccupe moins d'aide sociale que de rigueur morale : aux yeux de la plupart des Londoniens fortunés, les miséreux et les exclus sont en grande partie responsables de leur propre situation et ont surtout besoin d'être « remis dans le droit chemin », par le travail, la tempérance et la prière. Tout cela n'empêche d'ailleurs aucunement certains aristocrates curieux ou en quête de sensations fortes de venir s'encanailler dans les bouges les plus mal famés de l'Est de Londres...

Cockneys & Immigrants

Souvent utilisé pour qualifier un accent populaire typiquement londonien, le mot *cockney* désigne traditionnellement les Londoniens de l'East End d'origine anglaise, par opposition aux immigrants venus d'Europe centrale, d'Irlande ou d'ailleurs. À l'époque de Sherlock Holmes et des Quatre de Baker Street, de nombreuses familles pauvres venues de Russie et de Pologne vivent dans l'East End de Londres ; beaucoup d'entre elles sont issues de la communauté juive et ont quitté leur pays d'origine pour échapper aux pogroms et aux persécutions. Arrivés en Angleterre dans l'espoir d'y construire une nouvelle vie, ces immigrants sont toutefois loin d'être accueillis à bras ouverts par l'ensemble de la population locale ; Aux yeux d'une grande partie des cockneys, en effet, les nouveaux venus sont comme des « étrangers » venus « voler le pain » des « honnêtes travailleurs anglais ». Les vieux préjugés ont la vie dure et l'on est toujours l'étranger de quelqu'un d'autre, comme le fait remarquer Charlie à Black Tom dans *Le Dossier Raboukine*, lorsqu'il se lance dans une longue diatribe sur « les Russkofs ».

Les autorités locales considèrent le ghetto de l'East End comme une véritable poudrière, dans laquelle il est vital d'empêcher tout risque d'émeute susceptible de déborder hors des limites du quartier, comme lors du tristement célèbre Dimanche sanglant de 1887. Les tensions sociales qui agitent l'East End apparaîtront également au grand jour lors de l'automne de la Terreur causé par les meurtres de Jack l'Éventreur, en 1888 (voir page 20).

Qu'ils soient nés en Angleterre, en Irlande, en Russie ou en Pologne, les laissés-pour-compte de l'East End ont néanmoins une chose en commun : la misère – et nombreux sont ceux qui, comme Victor Raboukine, Katia Ivanovna et leurs camarades, rêvent de voir tous les « damnés de la Terre » s'unir dans une grande Révolution (voir page 58) et faire du XXᵉ siècle qui s'approche à grands pas le début d'une nouvelle ère...

ÉLÉMENTAIRE, MON CHER WATSON !

Parce qu'il n'est pas doté des extraordinaires facultés d'observation et de déduction de Sherlock Holmes, et qu'il subit souvent les commentaires sarcastiques de ce dernier, le docteur Watson est trop souvent vu comme un simple faire-valoir du grand détective.

« Vous voyez tout. Mais vous ne parvenez pas à raisonner à partir de ce que vous voyez. Votre timidité à tirer des conclusions vous perdra ! » (Holmes à Watson, dans *L'Aventure de l'escarboucle bleue*)

De fait, à partir du moment où il emménage au 221b Baker Street, toute l'existence de John Watson semble graviter autour de la personne de Sherlock Holmes, puisqu'il est tout à la fois son assistant, son colocataire, son meilleur (son seul ?) ami, son biographe et son médecin – ce qui fait tout de même beaucoup pour un seul homme, compte tenu du caractère parfois difficile de l'illustre investigateur.

Mais la patience et la bonhomie ne sont pas les seules qualités du bon docteur ; fidèle en amitié, doté d'un courage indéniable et d'un sens de l'honneur irréprochable, John Watson est l'incarnation même des valeurs idéales de l'Angleterre victorienne – et aussi, tout simplement, un brave type.

Profondément attaché à Holmes, il s'inquiète de sa déplorable addiction à la cocaïne et répond toujours présent lorsque le détective lui demande son aide, même dans les situations les plus dangereuses. Il n'hésite pas alors à s'armer de son fidèle revolver d'ordonnance, souvenir de son séjour dans l'armée de Sa Majesté.

Le bon docteur est également un parfait gentleman ; sans doute plus sensible que Holmes aux charmes de la gent féminine, il se montre toujours prêt à porter secours à la demoiselle en détresse ; c'est d'ailleurs de cette façon qu'il fera la connaissance de celle qui deviendra son épouse, la charmante Mary Morstan,

lors de la ténébreuse affaire du *Signe des Quatre*. Il quitte alors son appartement de célibataire au 221b Baker Street, pour emménager avec la jeune Mrs. Watson dans un coquet appartement, que nous découvrons dans *Le Rossignol de Stepney*.

Après son mariage, Watson reste l'ami dévoué de Holmes, qu'il continue d'assister dans plusieurs de ses investigations et qu'il accompagne même jusqu'en Suisse, dans sa traque du diabolique professeur Moriarty, jusqu'à la fatidique confrontation des chutes du Reichenbach. Dans les derniers mots du récit dramatique de la disparition du célèbre détective, Watson évoque avec émotion celui qu'il considérera « toujours comme le meilleur et le plus sage de tous les hommes » qu'il a connus.

Une Vieille Blessure...

Un autre élément important du personnage de Watson est son vécu militaire ; il a en effet servi durant plusieurs années dans l'armée de Sa Majesté, d'abord en Inde, puis en Afghanistan – une expérience qui a évidemment contribué à forger son caractère et à lui donner une certaine habitude du danger.

Après avoir terminé ses études de médecine et de chirurgie, c'est en tant que médecin militaire que John Watson intègre le prestigieux cinquième régiment des Royal Northumberland Fusiliers. Débarqué à Bombay, il se retrouve bientôt affecté à Kandahar, en pleine guerre anglo-afghane (1879-1880). C'est au cours de cette campagne, lors de la terrible bataille de Maiwand, qu'il recevra une blessure assez sérieuse pour l'obliger à mettre un terme à sa carrière militaire et à rentrer en Angleterre ; il évoque cette douloureuse et difficile expérience au tout début d'*Une étude en rouge*.

Rendu à la vie civile, sans relations ni famille personnelle, c'est tout naturellement que Watson échoue à Londres, en quête d'un nouveau départ dans l'existence... et d'un appartement en colocation : c'est ainsi qu'il fait la connaissance d'un certain Sherlock Holmes. Le reste appartient à l'Histoire.

JACK L'ÉVENTREUR

Entre août et novembre 1888, dans le quartier de Whitechapel, cinq femmes sont assassinées de façon horrible par un mystérieux meurtrier – un serial killer qui va entrer dans l'Histoire sous le sinistre surnom de Jack l'Éventreur…

Ses victimes sont toutes des prostituées, des « femmes perdues » vivant (ou plutôt survivant) dans l'East End londonien. À l'exception de la dernière, Mary Jane Kelly, âgée d'une vingtaine d'années et connue pour être fort jolie, toutes sont des femmes d'âge mûr, usées par une existence misérable. Toutes seront tuées et mutilées en pleine rue, dans les recoins obscurs du dédale de Whitechapel – excepté, là encore, Mary Jane Kelly, qui sera assassinée dans sa chambre. Ce dernier meurtre surpassera tous les autres en horreur, sans doute parce que cette fois-là, le tueur pourra « opérer » en toute tranquillité…

L'Automne de la Terreur

Pendant plusieurs mois, les Londoniens vivent au rythme des meurtres de l'Éventreur ; cette période sera d'ailleurs baptisée « l'automne de la Terreur ». Très vite, la presse s'empare de l'affaire, alimentant l'angoisse et la curiosité du public ; en l'absence d'indices ou de pistes solides, bien des journalistes n'hésitent pas à « broder », transformant bientôt une série de meurtres effroyables en véritable feuilleton à sensations.

Pendant ce temps, à Whitechapel, les rumeurs enflent et la chasse au tueur va bon train ; les nombreux immigrants et étrangers vivant dans l'East End deviennent rapidement des boucs émissaires. De parfaits innocents sont pris à partie, on frôle plusieurs fois l'émeute et un comité de vigilance populaire se met bientôt en place. Dans ce contexte explosif, les autorités ne tardent pas à être accusées d'incompétence, d'indifférence, voire de complicité passive avec le tueur ! Puisque la police n'obtient aucun résultat, n'y a-t-il pas anguille sous roche ? Ne chercherait-on pas, en haut lieu, à étouffer l'affaire, afin de protéger quelque haut personnage impliqué dans cette ténébreuse et sanglante histoire ?

Bientôt, les journaux sont inondés de lettres de lecteurs présentant leurs opinions sur les origines de l'assassin (« forcément » étranger, juif, oriental, et même irlandais… mais certainement pas anglais !), sa profession (un médecin, un barbier, un boucher…) ou la meilleure façon de le capturer (pourquoi ne pas faire arpenter Whitechapel par des inspecteurs de police travestis en filles des rues ?)

À cela s'ajoutent des myriades de lettres anonymes – dénonciations calomnieuses ou courriers censés émaner du tueur en personne… Au milieu de cet océan de confessions délirantes et de canulars de mauvais goût, une poignée de lettres retient tout particulièrement l'attention des enquêteurs : celles où, pour la première fois, apparaît la signature de « Jack l'Éventreur » (mais ce nom si bien trouvé ne serait-il pas plutôt l'œuvre d'un journaliste imaginatif et désireux d'entretenir l'intérêt du public ?) et la fameuse lettre anonyme adressée au directeur du comité de vigilance de Whitechapel – une lettre sinistre et sarcastique, envoyée « depuis l'enfer » (*From Hell*) et simplement signée « Attrape-moi-si-tu-peux »…

En dépit de tous ses efforts, la police ne pourra jamais démasquer le monstre de Whitechapel – un échec qui contribuera grandement à faire de l'Éventreur un personnage mythique, un démon des temps modernes, capable de déjouer et d'humilier la meilleure police criminelle du monde. La rumeur et l'imagination populaire lui attribueront ensuite divers autres meurtres de femmes commis à Londres… mais aussi à Manchester, à New York et même à Paris.

Prédateur invisible et insaisissable, le tueur de Whitechapel devient l'incarnation même du Mal rôdant dans l'enfer urbain des grandes métropoles créées par la révolution industrielle.

La légende de Jack l'Éventreur est née.

Absent de Londres au moment des faits, Sherlock Holmes ne pourra malheureusement assister Scotland Yard dans sa chasse à l'Éventreur… Mais comme le fait observer Billy à Tom au début du *Dossier Raboukine*, on ne peut pas traquer à la fois le chien des Baskerville et le monstre de Whitechapel… Dans cette même aventure, nos francs-tireurs de Baker Street sont d'ailleurs confrontés à l'ombre de l'Éventreur – ou plus exactement à sa « doublure », pièce maîtresse d'un sinistre complot ourdi par l'Okhrana, la police secrète russe…

FRANCS-TIREURS DE BAKER STREET, AU RAPPORT !

ALORS VOILÀ LE TOPO : MONSIEUR HOLMES M'A CHARGÉ DE MONTER UNE OPÉRATION DE SURVEILLANCE...

ET C'EST VOUS, LES TROIS NOUVEAUX, QUE J'AI CHOISIS POUR CETTE MISSION ! CE SERA COMME QUI DIRAIT VOTRE BAPTÊME DU FEU...

JE FAIS RAPIDEMENT LES PRÉSENTATIONS : BILLY, CHARLIE...

ET TOM !

BLACK TOM.

DONC, VOTRE BOULOT EST DE PLANQUER DEVANT UNE BOUTIQUE ET D'OBSERVER S'IL S'Y PASSE DES TRUCS LOUCHES.

ET CHAQUE SOIR, APRÈS LA FERMETURE, VOUS ME FAITES VOTRE RAPPORT.

DES QUESTIONS ?

C'EST QUOI, COMME BOUTIQUE ?

Y'EN A POUR COMBIEN DE TEMPS, AU JUSTE ?

POURQUOI C'EST TOI QUI DONNES LES ORDRES ?

T'AS POSÉ LA SEULE QUESTION INTELLIGENTE, BILLY FLETCHER ! C'EST UN TAXIDERMISTE.

UN QUOI ?

UN TAXIDERMISTE, C'EST UN TYPE QUI EMPAILLE LES ANIMAUX.

BEURK ! C'EST DÉGUEU...

VOILÀ, C'EST ICI ! ON SE RETROUVE À SEPT HEURES, DEVANT LE 221B, POUR VOTRE RAPPORT ! D'ICI LÀ, OUVREZ L'ŒIL ET SOYEZ DISCRETS !

LE 221B ? C'EST QUOI, ÇA ?

ET DIRE QUE PENDANT CE TEMPS-LÀ LE CAPORAL WIGGINS VA VIVRE SA VIE...

OUAIS... IL SE PREND UN PEU TROP POUR LE CHEF, NON ?

TU PARLES D'UNE ARNAQUE !

C'EST VRAI QU'IL LA RAMÈNE VACHEMENT- COMME SI C'ÉTAIT LUI, LE DÉTECTIVE...

LE SEUL TRUC QUE JE REMARQUE, C'EST QUE ÇA SE BOUSCULE PAS, CÔTÉ CLIENTS...

OUAIS... Y'A PAS UN RAT... ENFIN, FAÇON DE PARLER...

LA FERME !

J'AI JAMAIS EU DE SALON...

D'UN AUTRE CÔTÉ, QUI PEUT BIEN AVOIR ENVIE D'ACHETER CES TRUCS-LÀ ? T'IMAGINES, DÉCORER TON SALON AVEC UN ANIMAL MORT ?

JE COMMENCE À EN AVOIR MA CLAQUE ! C'EST MORTEL, CE BOULOT...

WIGGINS A DIT : JUSQU'À LA FERMETURE... ÇA DEVRAIT PAS TARDER...

GAFFE ! VOILÀ QUELQU'UN...

C'EST QUI CE TYPE ? TU LE CONNAIS ?

C'EST TERMINUS ROGAN... IL BOSSAIT POUR LES FRÈRES MURPHY AU TEMPS OÙ ILS TENAIENT KILBURN...

TERMINUS ? POURQUOI ON L'APPELLE COMME ÇA ?

À TON AVIS ?

ON A MÊME RACONTÉ QU'IL ÉTAIT RENTRÉ AU PAYS...

T'ES SÛR QUE C'EST BIEN LUI ?

SÛR ET CERTAIN ! LÀ OÙ J'AI GRANDI, C'ÉTAIT UNE FIGURE... CE QUE JE PIGE PAS, C'EST CE QU'IL FICHE ICI... IL AVAIT TIRÉ SA RÉVÉRENCE QUAND LES FRÈRES MURPHY SE SONT FAIT COFFRER, Y'A DEUX ANS....

MMMH... PAS LE GENRE DE TYPE À ACHETER DES RENARDS EMPAILLÉS, DONC...

NAN. PLUTÔT LE GENRE À LEUR ARRACHER LA TÊTE LUI-MÊME.

LES GARS...

ILS SONT MONTÉS À L'ÉTAGE...

ÇA SENT LA COMBINE BIEN LOUCHE, TOUT ÇA ...

BON... QU'EST-CE QU'ON FAIT ?

VOUS FAITES CE QUE VOUS VOULEZ... MOI, JE VAIS VOIR CE QU'ILS FABRIQUENT...

EUH, ATTENDS, ON DEVRAIT PEUT-ÊTRE...

POUSSEZ-VOUS, LES AMATEURS ! PLACE AU PROFESSIONNEL !

MAIS QU'EST-CE QUE TU FAIS ? ON VA SE FAIRE REPÉRER !

SI TU LA METS PAS EN VEILLEUSE, ÇA, C'EST SÛR !

CE FICHU IRLANDAIS EST COMPLÈTEMENT DINGUE !

IL A L'AIR DE SAVOIR CE QU'IL FAIT, NON ?

... QUE CE SOIT RÉGLÉ AU PLUS VITE. LE CLIENT EST PRESSÉ. UNE HISTOIRE D'HÉRITAGE.

LA CIBLE EST UNE CERTAINE MRS LAVERTY... D'APRÈS LE CLIENT, ELLE EST SOURDE COMME UN POT. ÇA DEVRAIT FACILITER LE TRAVAIL, NON ?

C'ÉTAIT CENSÉ ÊTRE UNE « SURVEILLANCE DISCRÈTE » !

JUSTEMENT. TAIS-TOI ET SURVEILLE...

ELLE A UNE SANTÉ DE FER, PARAÎT-IL... MAIS ELLE ENVISAGE DE MODIFIER SON TESTAMENT... UNE URGENCE, DONC. LE MIEUX SERAIT QUE « L'ACCIDENT » AIT LIEU DANS LA SEMAINE...

QUATRE-VINGT-ONZE ANS ?! IL POUVAIT PAS ATTENDRE UN PEU ? J'AIME PAS TROP FAIRE LES VIEILLES DAMES...

DE TOUTE FAÇON, LE CLIENT EST ROI, NON ?

C'EST NOTRE CINQUIÈME CONTRAT EN MOINS DE TROIS MOIS ! SI LES AFFAIRES CONTINUENT COMME ÇA, ON...

FERME-LA !... C'ÉTAIT QUOI, CE BRUIT ?

HEP-LÀ ! PAS SI VITE, L'ASTICOT !

QU'EST-CE QUE TU FOUS LÀ, RACAILLE ?

T'ES UN GOSSE DE KILBURN, PAS VRAI ?... ALORS TU SAIS QUI JE SUIS...

J'ALLAIS ME TIRER... Y'A RIEN À PIQUER, DANS CETTE TAULE... JUSTE DES BESTIOLES À LA NOIX...

ATTENDS UNE MINUTE ! JE TE CONNAIS, TOI...

FLANQUE-LUI UNE RACLÉE ET LAISSE-LE PARTIR... ÇA LUI SERVIRA DE LEÇON !

TU RIGOLES ? CE RAT NOUS A ENTENDUS CAUSER BIZNESS... ON PEUT PRENDRE AUCUN RISQUE. JE ME CHARGE DE LUI ! ASSURE-TOI QU'IL A PAS UN POTE EN TRAIN DE L'ATTENDRE DEHORS...

5

UN VRAI IRLANDAIS SE BAT JUSQU'AU BOUT AVANT DE CREVER.

TEIGNEUX, HEIN ? T'AS RAISON, FILS !

BOUGE PAS ! Y'A LE TAULIER QUI MATE LA RUE...

J'AIME PAS ÇA....

MOI NON PLUS. TU CROIS QU'IL NOUS A REPÉRÉS ?!

JE PENSE PAS... MAIS JE LE VOIS PLUS, LÀ...

CETTE TÊTE DE PIOCHE D'IRLANDAIS A DÛ SE FAIRE CHOPER... QU'EST-CE QU'ON VA FAIRE ?

DIVERSION.

EUH, D'ACCORD... MAIS C'EST QUOI, LE PLAN ?

TU BARATINES, JE VAIS CHERCHER BLACK TOM ET ON SE TIRE. DES QUESTIONS ?

GZING

6

M'SIEUR ! J'AI TOUT VU !

C'ÉTAIENT DEUX POUILLEUX AVEC UN LANCE-PIERRE ! MÊME QUE ÇA LES A FAIT DRÔLEMENT RIGOLER !

ILS SONT PARTIS PAR LÀ ! Y'EN AVAIT UN AVEC UNE TÊTE D'IRLANDAIS... IL AVAIT MÊME PAS DE CHAUSSURES !

QUELLE HONTE !

QUE FAIT LA POLICE ?

LES PETITS SAUVAGES !

ALLEZ, MON GARS...

C'EST LE TERMINUS DES RATS... ET C'EST LÀ QUE TU DESCENDS !

TU M'AURAS DONNÉ DU FIL À RETORDRE... ET TOUT ÇA POUR PAS UN ROND...

NOM DE... ?!

SALETÉ DE...

CHBAM!

C'EST DRÔLEMENT LOURD, CES MACHINS-LÀ ! ON CROIRAIT PAS COMME ÇA...

JE VOUDRAIS PAS DIRE... MAIS TU TE BATS UN PEU COMME UNE FILLE...

TOI AUSSI, T'ES DRÔLEMENT LOURD...

8

SCÉNARIO : DJIAN-LEGRAND   DESSIN : ETIEN   2012

LES EXPLOITS DE SHERLOCK HOLMES

Parmi toutes les enquêtes menées par Sherlock Holmes, ce sont bien sûr les affaires les plus spectaculaires, les plus insolites ou les plus périlleuses qui ont contribué à forger la légende du roi des détectives. Voici un petit florilège de ses aventures les plus célèbres, survenues entre sa rencontre avec le docteur Watson et sa tragique confrontation avec le diabolique professeur Moriarty (voir page 60).

Une Étude en Rouge

Il s'agit de la première enquête relatée par le docteur Watson, qui venait alors de faire la connaissance de Sherlock Holmes et d'emménager au 221b Baker Street. Sollicité par Scotland Yard, le détective parvient à élucider un mystérieux double meurtre, dont le mobile était de venger une terrible tragédie survenue vingt ans plus tôt, dans l'État américain de l'Utah, au cœur de la communauté religieuse des Mormons. Grâce à ses méthodes d'investigation fondées sur l'observation, la déduction et l'analyse des faits, Holmes résout l'affaire – mais tout le mérite en revient, officiellement, aux inspecteurs Lestrade et Gregson…

Le Signe des Quatre

Une autre ténébreuse affaire survenue à Londres mais trouvant ses origines dans un lointain pays – cette fois-ci au cœur des Indes britanniques… Tous les ingrédients d'un bon récit à sensations sont là : un trésor caché, un lourd secret, un serment de vengeance, un assassin insaisissable (en l'occurrence un indigène des îles Andaman, armé d'une sarbacane aux fléchettes empoisonnées) et, bien sûr, une belle demoiselle en détresse : la charmante Mary Morstan, dont le docteur Watson tomba amoureux et qu'il épousa quelque temps plus tard, mettant ainsi fin à sa vie de célibataire au 221b Baker Street.

Le Chien des Baskerville

Une des aventures les plus célèbres de Sherlock Holmes – aventure qui le mènera loin des rues de Londres, sur la sinistre lande de Dartmoor, dans le Devon, à la poursuite d'un chien démoniaque lié à l'antique malédiction de la famille Baskerville, dans une atmosphère digne d'un roman d'épouvante… mais le surnaturel ne semble pas avoir de place dans le monde de Sherlock Holmes : la créature infernale s'avérera être un molosse tout à fait ordinaire (mais tout à fait dangereux !), spécialement dressé et grimé par les auteurs d'une diabolique machination, qui sera bien évidemment déjouée par le grand détective.

La Ligue des Rouquins

Lorsque le ridicule et pompeux commerçant Jabez Wilson vient trouver Sherlock Holmes et le docteur Watson pour leur raconter une histoire à dormir debout, celle d'une improbable « Ligue des rouquins » créée pour venir en aide à tous les honnêtes hommes roux de Londres, le grand détective et son fidèle assistant ne savent pas encore que cette rocambolesque histoire va leur permettre de découvrir, et finalement de déjouer, un plan criminel d'une incroyable audace.

Un Scandale en Bohème

C'est au cours de cette délicate affaire que Sherlock Holmes croise celle qui, pour lui, restera à jamais « LA » femme : l'aventurière Irène Adler, cantatrice d'origine américaine dont la liaison avec le roi de Bohème menace de compromettre le futur mariage de ce dernier – une femme fatale à plus d'un titre, puisqu'elle parviendra à battre Holmes à son propre jeu, gagnant ainsi l'estime (et peut-être un peu plus…) du grand détective. LA femme aura même l'élégance de lui écrire une lettre pour lui faire part de sa sincère admiration, avant de tirer sa révérence…

Le Ruban Moucheté

« Quand un médecin s'y met, Watson, il est le pire des criminels. Il possède du sang-froid et une science incontestable. »
Ainsi Sherlock Holmes évoque-t-il le sinistre docteur Grimesby Roylott, un des plus machiavéliques assassins qu'il ait eu à affronter au cours de sa carrière… L'arme du crime : un redoutable serpent venimeux, camouflé en cordon de sonnette !
Grâce à l'intervention de Holmes et Watson, le démoniaque docteur Roylott sera finalement victime de son propre stratagème – « une responsabilité qui ne pèse pas lourd sur ma conscience ! » déclarera le détective en conclusion de cette singulière affaire.

LA QUESTION IRLANDAISE

l'époque victorienne, toute l'Irlande fait encore partie de ce que l'on appelle déjà le Royaume-Uni (United Kingdom of Great Britain and Ireland) ; en pratique, cela signifie que l'île est sous domination britannique.

La majorité de la population irlandaise vit et travaille aux champs, dans la plus grande pauvreté et sans le moindre espoir de voir son sort s'améliorer. À cela s'ajoutent de profondes tensions religieuses et sociales entre catholiques et protestants, héritées des jours les plus sombres de l'histoire irlandaise – mais le pire est encore à venir…

Entre 1845 et 1852, l'Irlande est frappée par une catastrophe sans précédent : la Grande Famine. Les champs de pommes de terre de l'île sont ravagés par le mildiou, privant les paysans irlandais de leur aliment de base ; une famine digne du Moyen Âge déferle alors sur l'île d'Émeraude, avec son cortège de drames et d'horreurs. Aggravée par la gouvernance toute coloniale des autorités britanniques, plus préoccupées par les risques de troubles politiques que par la survie de la population, la « famine de la patate » va provoquer, en sept ans, plus d'un million de morts, tuant directement ou indirectement plus d'un Irlandais sur huit. Désespérés, de nombreux Irlandais n'ont plus qu'une seule issue s'ils veulent survivre : quitter l'Irlande pour l'Angleterre ou l'Amérique. La Grande Famine provoque un véritable exode, déracinant à peu près autant d'Irlandais qu'elle en a tués ; ainsi débute la diaspora irlandaise.

Préjugés & Racisme

De manière générale, les Anglais de cette époque ont tendance à considérer l'Irlande comme la partie la plus arriérée du Royaume-Uni – et les Irlandais comme un peuple de bons à rien paresseux, ignares et violents, à la limite de la sauvagerie pure et simple. On ne parle d'ailleurs pas à l'époque de « nation irlandaise » mais bien de « race irlandaise » (*irish race*) – une « race » évidemment « inférieure », incapable de prétendre à la même destinée que les glorieux Anglo-Saxons.

Ces préjugés se font souvent encore plus violents à l'égard des Irlandais ayant quitté leur île natale pour venir chercher du travail à Londres, Manchester ou Liverpool : aux yeux de nombreux Britanniques, la « race irlandaise » devient alors la « racaille irlandaise » (*irish rabble*), chargée de tous les crimes et de toutes les tares imaginables ; quand il n'est pas décrit comme une brute épaisse à peine civilisée, l'Irlandais est vu comme un vaurien querelleur et sournois, aussi malhonnête qu'incapable. Pendant ce temps, des milliers de travailleurs irlandais vivant dans une misère sordide apportent à la révolution industrielle anglaise une main-d'œuvre indispensable.

Les rangs des *London Irish* incluent évidemment leur part de petits malfrats et de criminels endurcis, souvent unis par les liens du sang ; les plus dangereux vivent retranchés dans

des « rookeries », véritables dédales urbains truffés de pièges, où même les policiers les plus courageux hésitent à s'aventurer. Pour les autorités, ces clans criminels ne constituent pas la pomme pourrie du panier, mais bien le noyau dur de la communauté.

Les termes les plus souvent employés pour désigner les Irlandais sont *paddies* (diminutif de Patrick, le saint patron de l'Irlande) et *micks* (qui tourne en dérision le « Mac » de noms de famille typiques comme McDonald ou McDermott) ; ce dernier nom est souvent précédé de l'adjectif *pig-eyed* : pour de nombreux Anglais de cette époque, les Irlandais sont des « micks aux yeux de cochon »…

Dans les aventures des Quatre de Baker Street, Black Tom doit souvent faire face à ce racisme tristement ordinaire – comme par exemple lors de sa confrontation avec l'inspecteur Braddock, dans *Les Orphelins de Londres*. La Special Branch que ce policier rêve d'intégrer (et qu'il rejoint finalement, grâce à l'intervention de l'inspecteur Lestrade) s'appelait d'ailleurs, à l'origine, la « Special Irish Branch » ; fondée au début des années 1880, elle a pour mission de lutter contre les Fenians, les révolutionnaires de la Confrérie républicaine irlandaise et la menace qu'ils représentent pour le « Royaume-Uni »…

Promenade à Hyde Park

Saynète londonienne

Black Tom et Betty, une jeune marchande de fleurs[1], se promènent dans une allée de Hyde Park. Après avoir longuement cherché quelque chose de spirituel ou de romantique à dire, Tom décide de se lancer…

– Ce qu'il y a de bien avec les fleurs, c'est que ça sent bon…

– Mais c'est beau aussi ! C'est pas pour rien que les femmes du monde en portent sur leurs chapeaux… Dis donc, Tom… Tu m'as toujours pas dit ce que tu faisais dans la vie…

– Oh, tu sais, c'est une histoire longue et compliquée… comme toutes les histoires d'Irlandais. Tu sais ce que les Anglais disent de nous, pas vrai ? Bagarreurs, menteurs, voleurs et compagnie ! Les cockneys nous appellent la racaille, et les gens de la haute, la canaille…

– J'aime bien les histoires compliquées, moi ! Allez, raconte !

– Je t'assure, Betty… C'est vraiment pas intéressant. Dis-toi juste que j'ai un boulot honnête, maintenant. C'est tout ce qui compte, non ?

– Je vois. Adieu, Tom !

– Attends ! Où tu vas, comme ça ? Qu'est-ce qu'il y a ?

– Écoute, Tom, soit tu arrêtes de jouer les mystérieux, soit on n'a plus rien à se dire ! Je suis une fille sérieuse, moi… je n'ai pas de temps à perdre avec les mauvais garçons !

– Ça va, t'as gagné ! On va s'asseoir sur le banc, là-bas ?

– Si tu veux… mais je te préviens, si tu recommences à esquiver, je pars !

– Bon, ben, qu'est-ce que tu veux savoir ?

– Commençons par le commencement. Pourquoi tout le monde t'appelle Black Tom ? A cause de tes cheveux ?

– Ouais. Y a beaucoup de rouquins chez nous… mais aussi pas mal de noirauds, les « Black Irish », comme on dit. Moi, on m'a toujours appelé Black Tom.

– Mais ton nom de famille, c'est quoi ?

– O'Rourke. Irlandais pur jus, tu vois… même si je suis né à Londres. Mes vieux aussi, d'ailleurs. C'est leurs vieux à eux qui ont quitté le pays, juste après la Grande Famine. J'avais quatre frères et…

– T'avais ? Comment ça ? Ils sont… euh…

– Non, ils sont toujours vivants ! Enfin je crois… Écoute, c'est déjà duraille pour moi de raconter tout ça, mais si tu me coupes toutes les deux minutes…

– Excuse-moi. Je t'écoute…

– Donc, avec ma famille, on vivait dans le quartier de Saint-Giles… C'était la vraie misère… Un jour, mes parents ont décidé de tout plaquer pour partir en Amérique. Une seconde chance, une nouvelle vie dans un pays neuf, tu vois le plan… Avec mes frères, je te dis pas comment qu'on était jouasses… Mais quand le jour est arrivé, j'ai bien vu qu'il y avait un malaise. Ils m'ont expliqué qu'ils n'avaient pas de quoi payer le voyage à toute la famille et que ça leur tordait les tripes… mais qu'il fallait qu'il y en ait un qui reste ici.

– Toi ?

– T'as tout compris... Mes frangins étaient trop petits pour se débrouiller seuls. J'étais l'aîné... c'était à moi de me dévouer.

– Et... ils t'ont abandonné comme ça ?

– Ouais... Ils me l'ont pas dit, mais j'ai bien compris que ça leur ferait aussi une bouche de moins à nourrir, une fois en Amérique... Ils m'ont confié aux Malone, des cousins à nous, du côté de Kilburn... mais eux aussi, ils tiraient le diable par la queue. Il a vite fallu que je gagne ma croûte... Alors, je suis devenu monte-en-l'air...

– Monte-en-l'air ? Ça veut dire « cambrioleur », c'est ça ? Je croyais que tu avais un « boulot honnête », Tommy O'Rourke !

– Attends, l'histoire est pas terminée... La cambriole a bien marché, au début... et c'est à cause de ça que je me suis fait remarquer par les gars de Patch. Ils ont toujours l'œil sur les gosses qui vivent dans la rue...

– C'est qui, ce Patch ?

– Le roi des mendiants de Londres. Il m'a fait coincer dans une ruelle... et j'ai été obligé de lui verser une part sur tout ce que je gagnais avec les fric-frac... En échange de sa « protection », comme il disait... Et puis comme j'étais vraiment doué, il m'a confié à Old Bailey.

– Old Bailey ? Le tribunal[2] ? Il t'a dénoncé ?

– Non, pas ce Old-Bailey là ! Le Old Bailey de Patch, c'est un de ses gars... un vieux voleur qui connaît toutes les ficelles. Il m'a appris plein de trucs...

– Tu parles d'un apprentissage !

– C'est un brave type, tu sais... Un jour, Patch a voulu faire un exemple, pour montrer à ses gars de quoi il était capable et qu'ils avaient intérêt à filer droit. Old Bailey commençait à se faire vieux et venait de foirer un fric-frac... alors Patch lui a fait broyer le pied. Puisqu'il était plus bon à rien comme voleur, il pouvait toujours gagner sa croûte comme boiteux...

– C'est horrible ! Comment... comment peux-tu vivre parmi ces monstres ?

– C'est fini, maintenant. Le jour où Patch a fait estropier Bailey, j'ai compris qu'il fallait que je prenne mes cliques et mes claques vite fait, si je ne voulais pas qu'il m'arrive la même chose, un jour. Mais quand un type comme Patch vous a à l'œil, on peut pas partir comme ça. Il fallait que je me trouve un nouveau protecteur... un type à qui Patch oserait pas s'attaquer. Autant dire que c'était pas dans la rue que je risquais de le trouver.

– Et... tu l'as trouvé, alors ?

– Ouais. Par ricochets... un peu comme quand tu lances une pierre sur l'eau. Un jour, j'ai entendu parler d'une bande de gosses qui se faisaient appeler les « francs-tireurs de Baker Street »... J'ai trouvé le nom bien tarte mais le plan était intéressant : ils travaillaient pour un type de la haute... T'as déjà entendu parler de Sherlock Holmes ?

– C'est pas le gentleman qui fait passer les types de Scotland Yard pour des buses ? Un « défective » ou quelque chose comme ça ?

– Détective. Le meilleur, à ce qui se dit. Il a souvent besoin de gosses des rues pour faire des filatures, dénicher des renseignements, jouer les pisteurs... et il paie bien ! Je suis allé trouver le type qui dirigeait l'équipe – Wiggins, un sacré prétentieux, soit dit en passant... le genre à toujours vouloir jouer les chefs, tu vois. Je l'ai tout de suite eu dans le pif...

– Je m'en fiche, moi, de ce Wiggins ! Parle-moi du détective, là...

– Attends. Donc, je vais voir cette truffe de Wiggins et je lui dis comme ça : je suis un monte-en-l'air de première, je suis sûr qu'il y a personne comme moi dans votre équipe. Ça l'a fait marrer... mais le lendemain soir, il la ramenait moins.

– Qu'est-ce qui s'est passé ?

– On s'est retrouvés dans une rue à rupins. Je lui ai dit de me fouiller, pour qu'il voie bien que j'avais rien planqué sur moi... puis je lui ai demandé de choisir une bicoque au hasard. Je monte illico sur le toit et, moins d'un quart d'heure après, je lui ramène trois fourchettes en argent. Il était scié, le Wiggins ! Mais je me suis pas arrêté là : pour lui prouver que je voulais travailler dans l'honnête, je suis allé remettre les fourchettes en place, ni vu ni connu ! Une semaine plus tard, je commençais comme franc-tireur...

– Tu l'as vraiment rencontré, alors, Sherlock Holmes ? Il est comment ?

– Un pote à moi dit que c'est un « génie excentrique »... Moi, je dirais qu'il est un peu secoué. Mais il paie bien. Et Patch me fiche la paix. C'est tout ce qui compte...

– Tom ?

– Ouais ?

– Merci de m'avoir raconté tout ça. J'ai toujours su que t'étais un gars bien...

– T'es bien la première personne à me dire ça... Et toi ? Ils sont où, tes vieux ? T'as grandi à Londres ou...

– Bon, c'est pas tout ça, mais faudrait bien que je vende encore quelques bouquets d'ici ce soir... Tu me raccompagnes, Tommy O'Rourke ?

---

[1] Nos fidèles lecteurs auront donc compris que cette saynète se déroule avant le premier tome de la série, L'Affaire du Rideau bleu.

[2] « Old Bailey » est en effet le surnom que donnent les Londoniens à leur principale cour de justice criminelle – d'où le quiproquo !

SCOTLAND YARD

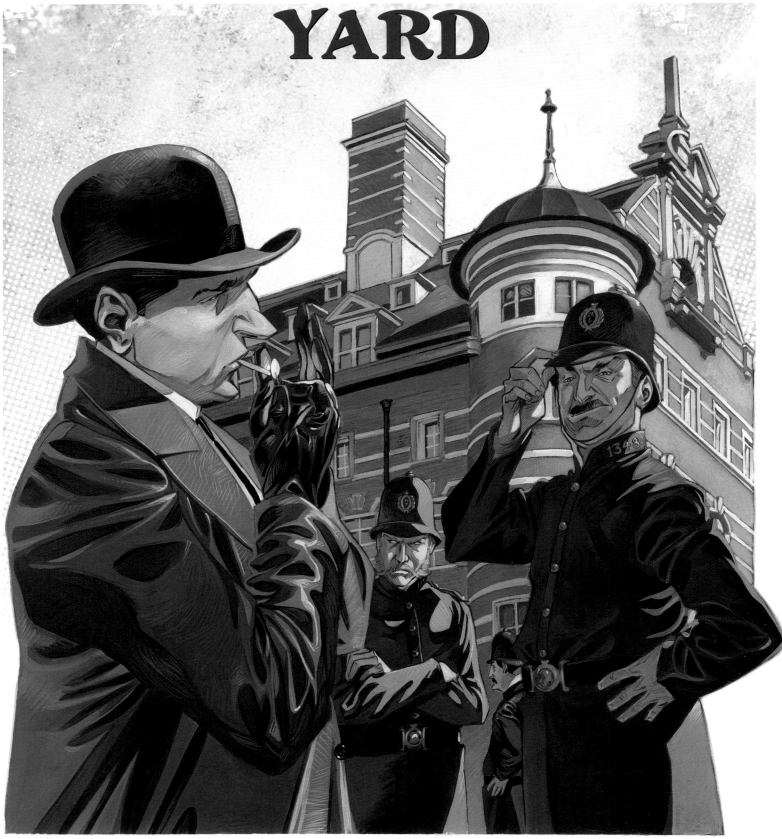

Londres possède en réalité deux forces de police bien distinctes, avec chacune sa propre hiérarchie et ses propres attributions : la City of London Police, dont la juridiction est limitée au seul quartier de la City (soit un territoire d'un mile carré !) et la Metropolitan Police, en charge du Grand Londres, c'est-à-dire du reste de la capitale. C'est donc à cette « police métropolitaine » qu'appartiennent la plupart des agents et des inspecteurs croisés par Sherlock Holmes ou nos héros au cours de leurs aventures londoniennes.

Le nom « Scotland Yard » désigne le quartier général de la Metropolitan Police, dont les premiers locaux, situés à Westminster, donnaient sur une rue appelée « Great Scotland Yard ». En dépit de plusieurs déménagements, ce nom restera à jamais attaché à l'institution ; ainsi, en 1890, le siège de la Metropolitan Police s'installe à une nouvelle adresse… immédiatement baptisée « New Scotland Yard ».

Lorsque Sherlock Holmes et ses contemporains parlent des « hommes du Yard », ils font plus spécifiquement référence aux inspecteurs-détectives du Département d'investigation criminelle (CID). Fondé en 1878 et inspiré des méthodes de la Sûreté parisienne, ce service devient rapidement LA référence internationale en matière de police judiciaire ; c'est à ce prestigieux département qu'appartiennent des hommes comme l'inspecteur Lestrade et son collègue Tobias Gregson.

L'Inspecteur Lestrade

L'inspecteur Lestrade a travaillé sur de nombreuses affaires traitées par Sherlock Holmes – se voyant même à plusieurs reprises attribuer les mérites d'enquêtes résolues par l'illustre détective. Compétent, raisonnablement perspicace, la tête sur les épaules et les pieds sur terre, Lestrade est l'archétype du policier professionnel. Au début, il semble traiter Holmes avec un mélange d'impatience et de condescendance ; avec le temps, l'homme du Yard deviendra de plus en plus admiratif pour cet amateur excentrique dont l'attitude et les méthodes continuent néanmoins à le laisser perplexe.

Dans *Une étude en rouge*, le docteur Watson évoque sa première rencontre avec Lestrade, dont il brosse alors un portrait peu flatteur : « Un petit homme à l'œil noir, avec une face de rat au teint plombé. Mince de taille, la mine chafouine. » Dans le même récit, Holmes exprime son « estime » à l'égard de Lestrade d'une façon typiquement sherlockienne : « Gregson et Lestrade sont le dessus du panier, ce qui ne veut pas dire qu'ils valent grand-chose. » Voilà notre inspecteur habillé pour l'hiver…

L'inspecteur Lestrade intervient à deux reprises dans les aventures des Quatre de Baker Street : dans *Le Rossignol de Stepney*, c'est lui qui procède à l'arrestation d'Harry Sykes, ancien policier corrompu devenu pour un temps le « boss » de l'East End ; on le retrouve dans *Les Orphelins de Londres*, où il informe Watson de l'évasion du redoutable Bloody Percy et partage avec le docteur quelques souvenirs du grand détective, disparu dans les chutes du Reichenbach ; s'il fait initialement étalage d'une certaine indifférence quant au sort de nos francs-tireurs, Lestrade finira par apprendre à un Watson stupéfait qu'il a lui-même convaincu l'impitoyable inspecteur Braddock de renoncer à traquer Black Tom : « N'en parlons plus, docteur… Disons que j'ai fait cela en souvenir de monsieur Holmes… »

Les Bobbies

C'est sous ce diminutif affectueux que les Anglais désignent les agents en uniforme (ou *police constables*) qui, armés de leur seul bâton de policier et coiffés de leur fameux casque en forme de cloche, arpentent sans relâche les rues de Londres. Le nom *bobby* fait directement référence à sir Robert Peel, qui fonda la Metropolitan Police en 1829 ; à l'origine, ces agents étaient d'ailleurs également surnommés *Peelers* (ou « hommes de Peel »).

Dès l'époque victorienne, il existe évidemment une multitude d'autres termes pittoresques (et souvent peu flatteurs) pour désigner les représentants des forces de l'ordre ; si l'argot français a ses « flics », « cognes » et autres « roussins », le slang anglais a ses *coppers* et autres *rozzers*.

MENDIANTS ET ENFANTS DES RUES

Dans *L'Affaire du Rideau bleu*, nos héros ont maille à partir avec le dénommé Patch, roi autoproclamé des mendiants de Londres. Son nom peut désigner aussi bien une réparation de fortune faite sur un vêtement rapiécé que le bandeau de borgne qu'il arbore – et c'est d'ailleurs avec toute l'autorité et la cruauté d'un capitaine pirate que Patch règne sur sa petite armée de mendiants, véritable cour des miracles londonienne. Lorsqu'il faisait ses premières armes de cambrioleur, Black Tom a vite attiré l'attention de Patch, qui a alors fait de lui son « protégé » – une faveur dont notre apprenti monte-en-l'air se serait bien passé…

OLD BAILEY

L'Affaire du Rideau bleu nous permet également de faire connaissance avec Old Bailey, un vieux mendiant de la cour de Patch. Autrefois voleur de grand talent, c'est lui qui fut chargé par Patch d'achever l'éducation de Tom dans l'art de la cambriole… mais Old Bailey se faisait vieux et, comme ses talents de voleur commençaient à décliner, Patch décida qu'il serait finalement plus utile en tant qu'authentique mendiant et lui fit broyer la jambe, le rendant infirme à vie. C'est à la suite de ce dramatique événement que Tom prendra la décision de renoncer à la « protection » du roi des mendiants (voir p.38).

LES GAMINS DE LONDRES

Dans le Londres du XIXe siècle, les enfants des rues font en quelque sorte partie du paysage urbain ; souvent orphelins ou abandonnés, ils survivent généralement grâce au chapardage, à la mendicité et à diverses autres combines. La plupart opèrent en bandes, livrés à eux-mêmes ou sous la « protection » d'adultes souvent peu scrupuleux, comme le sinistre Fagin dans le célèbre roman *Oliver Twist* de Charles Dickens.

Les Londoniens donnent à ces gamins du pavé toutes sortes de noms pittoresques, comme *urchins* (un mot qui, à l'origine, pouvait signifier aussi bien « hérisson » que « lutin ») ou *street arabs* (« bédouins des rues »), un terme utilisé par le docteur Watson lui-même à propos des francs-tireurs de Baker Street.

Beaucoup d'enfants pauvres sont également obligés de travailler pour assurer leur subsistance ou celle de leur famille – que ce soit comme apprentis, coursiers, cireurs de chaussures ou (à l'instar de la petite Betty dans *L'Affaire du Rideau bleu*) en vendant des fleurs, des allumettes ou toutes sortes de colifichets au coin des rues. À cela s'ajoutent les innombrables enfants contraints à travailler dans les *workhouses* (voir p.48).

SCABS ET SA BANDE

Dans *Le Rossignol de Stepney* et *Les Orphelins de Londres*, nos héros croisent la route d'une autre bande de gamins des rues, dirigée par un certain Scabs et aux ordres du redoutable Bloody Percy, pour lequel ils accomplissent toutes sortes de sordides besognes, à commencer par l'incendie du cabaret de Stepney, le Merry Minstrel.

Pour nos héros, Scabs et sa bande ne sont pas tout à fait des adversaires comme les autres, puisqu'ils représentent ce qu'eux-mêmes auraient pu devenir si, au lieu de croiser la route d'un certain Sherlock Holmes, ils étaient tombés sous la coupe d'un individu comme Bloody Percy…

C'est au 221b Baker Street que réside Sherlock Holmes, dans un appartement qu'il partagea en colocation avec le docteur Watson jusqu'au mariage de ce dernier. Indissociable de son illustre locataire, cette adresse suffit, à elle seule, à évoquer l'univers du grand détective.

Située en plein cœur de Londres, dans la cité de Westminster, au nord de la grande artère commerçante d'Oxford Street et tout près du célèbre Regent's Park, Baker Street est, à l'époque victorienne, une rue résidentielle d'un certain standing, idéale pour abriter les quartiers d'un gentleman détective.

Mais que signifie au juste le « b » de 221b ? Si certains y voient l'abréviation de « bis », l'interprétation la plus répandue est que ce « b » indique le premier étage (où résident Holmes et Watson), par opposition au rez-de-chaussée, où vit leur logeuse, madame Hudson.

MADAME HUDSON

Pour nos héros, madame Hudson est d'abord associée au souvenir de roboratifs goûters offerts lors de leurs incursions au 221b ; à la fin des *Orphelins de Londres*, nous découvrons en outre qu'elle a veillé sur le matou Watson pendant le séjour forcé de Charlie en maison de travail…

Mais c'est d'abord en tant que logeuse de Sherlock Holmes que la dévouée madame Hudson mérite tout notre respect. Il faut assurément des réserves inépuisables de patience pour supporter un locataire comme l'illustre détective. Dans un de ses récits, le docteur Watson brosse un tableau éloquent de ce qu'endure, au quotidien, la maîtresse des lieux : « […] son célèbre locataire manifestait une excentricité et une irrégularité d'habitudes qui auraient dû épuiser son indulgence. Son incroyable manque de soins, sa prédilection pour la musique à des heures que tout un chacun réserve au sommeil, son entraînement au revolver en chambre, ses expériences scientifiques aussi étranges que malodorantes […] »

Le docteur évoque ensuite la « terreur respectueuse » qu'inspire Holmes à sa logeuse : « […] jamais elle n'osait le contredire, bien qu'il usât parfois avec elle de manières apparemment offensantes ». À la décharge de Sherlock, Watson note toutefois qu'il règle « princièrement » ses loyers – peut-être pour se faire pardonner d'être, selon les propres mots de son ami, « le pire des locataires de Londres ».

LE BAZAR DE SHERLOCK

Voici comment le docteur Watson décrit l'appartement du 221b dans *Une étude en rouge*, avant que Holmes et lui ne prennent possession des lieux : « Il comprenait deux chambres à coucher confortables et une grande salle commune bien aérée, garnie de meubles d'un aspect agréable et éclairée par deux larges baies. »

Sitôt installé, Holmes va transformer l'appartement en un pittoresque capharnaüm où archives, lettres et autres dossiers voisinent avec un improbable bric-à-brac comprenant un étui à violon, un râtelier à pipes, une babouche contenant du tabac, du matériel de chimie, un revolver et ses munitions et, en cherchant bien, la petite boîte contenant la seringue utilisée par le grand détective pour ses injections de « solution à 7 % »… sans oublier la peau d'ours trônant devant la cheminée.

MYCROFT HOLMES

C'est avec une certaine perplexité que le docteur Watson apprend, lors de l'affaire de *L'Interprète grec,* l'existence du frère aîné de Sherlock Holmes : Mycroft Holmes, que le grand détective lui-même décrit comme possédant les mêmes facultés d'observation et de raisonnement que lui, mais « à un degré bien supérieur » ! D'après Sherlock lui-même, Mycroft aurait pu le surpasser dans son domaine « si l'art du détective consistait en tout et pour tout à raisonner en restant assis sur un fauteuil ». En effet, contrairement à son illustre frère, Mycroft Holmes, « dénué d'ambition et d'énergie » (*dixit* Sherlock), mène une existence aussi discrète que routinière, réglée avec la même précision que l'horloge de Big Ben.

Mycroft Holmes partage son temps entre les ministères de Whitehall, où il travaille (du moins officiellement) comme fonctionnaire aux comptes, son domicile de Pall Mall et le club Diogène… Ce club londonien, aussi select que discret, est réservé aux gentlemen taciturnes ou insociables qui détestent bavarder avec leurs semblables et recherchent avant tout la paix et le silence ; sauf dans le salon réservé aux visiteurs, il est strictement interdit de parler dans l'enceinte du club Diogène : trois manquements à cette règle stricte et l'on risque l'exclusion pure et simple !

Le Mystère Mycroft

Mais les extraordinaires facultés d'observation et de raisonnement de Mycroft Holmes ne sont pas perdues pour tout le monde et son emploi d'obscur fonctionnaire ministériel n'est que la partie émergée du « mystère Mycroft » ; comme le docteur Watson en aura plus tard la confirmation, le frère de Sherlock Holmes occupe en réalité un rôle crucial dans la grande machine du gouvernement britannique, ayant accès à toutes sortes d'informations sensibles et de secrets d'État.

C'est d'ailleurs en cette qualité que Mycroft Holmes intervient, à la demande de son frère, dans les dernières pages du *Dossier Raboukine*, pour faire en sorte que l'Okhrana, la police secrète russe, renonce à la ténébreuse machination dans laquelle nos jeunes héros se sont, bien malgré eux, retrouvés impliqués. Nous le revoyons à la toute fin des *Orphelins de Londres*, recevant une mystérieuse lettre, dont la signature est, à elle seule, une révélation. Homme de silence par excellence, Mycroft Holmes est le dépositaire de bien des secrets…

Les Frères Holmes

Si les deux frères Holmes partagent le même génie de l'observation et de la déduction, ils semblent néanmoins s'opposer sur bien des points, sur le plan physique comme sur le plan du caractère : alors que Sherlock est mince et tout en nerfs, Mycroft se distingue par une imposante corpulence ; là où Sherlock fait montre d'une vivacité et d'un dynamisme confinant parfois à l'hyperactivité, Mycroft est doté d'un tempérament placide, voire apathique. Comme l'explique Sherlock à Watson lors de leur première conversation au sujet de Mycroft : « Il ne prendrait même pas la peine de vérifier ses découvertes, et il préférerait être taxé de mensonge plutôt que de se donner le mal de prouver qu'il a raison. »

Les relations entre Sherlock et Mycroft sont, du reste, aussi complexes que les deux frères eux-mêmes ! Si chacun sait qu'il peut toujours compter sur l'aide de l'autre, Sherlock et son frère aîné se voient fort peu et leurs rares rencontres sont le plus souvent motivées par les nécessités de telle ou telle affaire. Leurs rapports fraternels semblent fondés à la fois sur l'estime mutuelle et sur la compétition intellectuelle ; ainsi, lors de sa première rencontre avec Mycroft, le docteur Watson voit les deux frères Holmes se livrer à un singulier petit duel, chacun essayant de déduire le maximum d'informations de la simple observation d'un passant se tenant sur le trottoir d'en face… un duel évidemment emporté par Mycroft Holmes !

ENTRE LES MURS

Les lecteurs des *Quatre de Baker Street* connaissent bien l'asile de Bedlam, où est internée la mère de Charlie – un endroit cauchemardesque et, hélas, emblématique de la psychiatrie victorienne. À l'exception de quelques cliniques d'avant-garde, la principale vocation d'un asile d'aliénés n'est pas de soigner les patients, mais bien de les garder enfermés, sous une surveillance sévère et dans des conditions d'hygiène souvent déplorables ; la plupart des malades n'y reçoivent aucun véritable traitement et sont souvent victimes de maltraitance, lorsqu'ils ne subissent pas les expériences de médecins aliénistes adeptes de l'hydrothérapie ou de la lobotomie. Ce n'est pas un hasard si le mot « Bedlam » (à l'origine une déformation de « Bethléem », le nom officiel de l'établissement) est devenu, en anglais, un synonyme de chaos et de confusion, de capharnaüm et de pandémonium…

L'Enfer des Workhouses

La *workhouse* (« maison de travail ») où Charlie se retrouve enfermée dans *Les Orphelins de Londres* n'a rien d'une exception ; c'est dans ce genre d'établissements que des milliers de miséreux (y compris des vieillards, des infirmes et de très nombreux enfants) travaillent sans relâche, dans des conditions souvent épouvantables.

En dépit de ce que leur atmosphère carcérale pourrait laisser penser, les *workhouses* ne sont pas des prisons, mais bien des œuvres charitables… à la mode victorienne. À cette époque, il est tout simplement impensable que les institutions sociales aident les pauvres à survivre sans que ces derniers méritent cette assistance par leur labeur – l'oisiveté, c'est bien connu, est la mère de tous les vices… En « donnant » du travail aux indigents, la *workhouse* s'emploie également à remettre ses pensionnaires dans le droit chemin, à grands renforts de sermons et de prières ; il y règne une discipline de fer, la surveillance y est constante et les mauvais traitements monnaie courante… mais comme l'explique le révérend à Charlie lors de son petit laïus de bienvenue, tout cela est « pour son bien ».

Derrière les Barreaux

Dernière étape de notre petite visite des lieux d'enfermement : la sinistre prison de Newgate, un des plus célèbres établissements carcéraux de Sa Majesté. Construits selon les principes de ce qu'on appelle alors « l'architecture terrible » (c'est-à-dire destinée à créer la terreur dans les esprits), ses murs se dressent tout près de la fameuse Old Bailey, la cour de justice. Les prisonniers y sont triés en fonction de leur classe sociale et de leurs moyens, les plus aisés pouvant, moyennant finances, améliorer leurs conditions de séjour ; des parties séparées de la prison sont également réservées aux personnes condamnées à une période de détention pour ne pas avoir pu régler leurs dettes… ou aux mères détenues avec leurs bébés.

C'est aussi dans l'enceinte de Newgate qu'ont lieu les exécutions capitales par pendaison – un progrès relativement récent de la justice victorienne : jusqu'en 1868, les exécutions étaient publiques et avaient lieu sur des gibets dressés à l'extérieur, attirant toujours une foule considérable et occasionnant souvent de graves troubles à l'ordre public.

Dans *Les Orphelins de Londres*, nous assistons à l'évasion de Bloody Percy, qui parvient à fausser compagnie à ses geôliers grâce à un stratagème aussi audacieux que diabolique…

CHARLIE ET LA FEMME DE BEDLAM

Annie Jones savait bien qu'elle était complètement folle – folle à lier. C'était d'ailleurs pour ça qu'on l'avait enfermée ici, à Bedlam. Et comme elle posait vraiment trop de problèmes à M. Simms et aux surveillants, on lui avait passé la camisole de force. Un jour, elle avait mordu la main d'un des gardiens ; elle ne se rappelait plus pourquoi. Mais à partir de ce jour-là, on lui avait aussi mis une cage autour de la tête « pour éviter qu'elle fasse du mal au personnel, aux autres malades et même à elle-même ». C'est exactement ce qu'avait dit le directeur, M. Simms. Les gens de l'asile avaient aussi raconté qu'elle avait essayé de se taper la tête contre un mur, mais elle n'en avait aucun souvenir. Annie Jones savait bien que sa mémoire lui jouait des tours : elle pouvait oublier son âge, son nom ou pourquoi on l'avait enfermée, comme elle pouvait se rappeler les moindres détails d'une journée d'avant, quand elle avait encore ses deux filles avec elle… ses deux petites qu'elle adorait : Liz et Charlotte. Elle pensait souvent à elles, le soir, dans sa cellule. Elle se demandait pourquoi Liz, l'aînée, ne venait jamais la voir. Quant à Charlotte, elle lui rendait assez souvent visite, à présent – mais elle s'était transformée en un petit garçon appelé Charlie, pour des raisons dont Annie Jones avait du mal à se souvenir. Et ce « Charlie » ne lui donnait jamais de nouvelles de Liz, la grande sœur.

Liz avait toujours été la plus jolie. Avant, elle et Charlotte venaient souvent donner un coup de main à leur mère au Red Hound, le pub où elle travaillait. Elle se rappelait l'ambiance enfumée et bruyante, l'odeur de la bière et du gin, les clients – de rudes gaillards, des durs à cuire bâtis comme des ours et souvent aussi barbus. Au pub, ils étaient presque toujours rieurs, amicaux – même parfois un peu trop. Mais il valait mieux ne pas croiser certains d'entre eux la nuit, dans les ruelles sombres de l'East End… et savoir aussi éviter les regards de travers ou les réponses un peu trop cinglantes ; ces types n'avaient jamais appris les bonnes manières et plus d'un avait le coup de couteau facile. Annie Jones se débrouillait plutôt bien avec eux ; elle savait leur parler, comment rire à leurs blagues, quand

les resservir – et quand se tenir à l'écart. Beaucoup avaient les mains un peu trop baladeuses, mais avec le temps, elle ne faisait même plus attention. Et puis le patron, M. Cornick, était toujours là pour les calmer quand ça allait un peu trop loin.

Les petites n'avaient jamais su qui était leurs pères – ni si elles avaient le même. Possible qu'Annie Jones ne l'ait jamais su, elle non plus. De toute façon, les filles ne posaient jamais de questions ; dans ce quartier, tant qu'on avait une mère qui tenait bien la barre du rafiot familial, on pouvait déjà s'estimer bien loti. Certains soirs, quand la journée avait été un peu trop rude, Annie Jones disait à ses filles que ce travail finirait par la rendre folle. Et c'est ce qui était arrivé.

Elle avait bien remarqué que les petites n'allaient pas bien, que quelque chose les inquiétait, quelque chose dont elles ne voulaient pas lui parler. C'était à cette époque qu'elle avait commencé à se cogner dans les coins, à renverser des verres, à avoir des trous de mémoire. Les clients, eux aussi, étaient devenus bizarres ; souvent, ils la regardaient comme si elle venait de sortir une énormité. Comme si elle n'avait plus toute sa tête.

Elle commença à voir des choses qui n'étaient pas là. Alors, M. Cornick lui expliqua qu'il fallait qu'il pense à ses clients, à la réputation de son établissement… et qu'il ne pouvait pas garder une cinglée comme serveuse. Elle ne se souvenait pas de ce qui s'était passé après ; quand elle avait commencé à se rappeler qui elle était, on l'avait déjà amenée ici, à Bedlam.

Il se passa longtemps avant que Charlotte vienne la voir. Et Charlotte ne lui parla jamais de ce qui s'était passé, entretemps. Ni de ce qui était arrivé à Liz.

Une fois leur mère enfermée chez les fous, Liz et Charlotte avaient bien été obligées de se débrouiller toutes seules. Au début, les choses

ne s'étaient pas trop mal passées, puisque M. Cornick avait accepté de garder Liz, et même de l'engager à plein temps, comme fille de salle. Quant à Charlotte, elle pouvait toujours continuer à aider. M. Cornick répétait souvent qu'il n'était pas chien et qu'il faisait tout ça pour rendre service à cette pauvre Annie Jones.

Liz était devenue une très jolie jeune fille. Elle attirait de plus en plus les regards des hommes – à commencer par celui d'un certain Danny, petit malfrat de l'East End. Il était beau garçon et, sans savoir où elle mettait les pieds, Liz tomba aussitôt amoureuse. Lui, bien sûr, décida de la prendre « sous sa protection », comme il disait. Alors, Liz envoya balader M. Cornick, le Red Hound et tout le reste. M. Cornick avait beau ne pas être chien, il expliqua à Charlotte qu'il ne pouvait pas la garder au pub, vu qu'elle était vraiment trop jeune pour être fille de salle. Alors elle alla habiter avec sa sœur, dans la chambre que leur avait trouvée Danny – une chambre où Liz ne mettait presque jamais les pieds, maintenant qu'elle travaillait dans la rue.

Peu à peu, Charlotte avait vu sa sœur aînée devenir l'ombre d'elle-même, rongée par son nouveau métier, le gin et les roustes de Danny. Bien sûr, elle essaya de la secouer, mais Liz était tellement mordue de Danny qu'elle aurait accepté n'importe quoi de sa part. À cette époque, Charlotte se disait souvent que c'était elle, la cadette, qui veillait sur l'aînée, qui lui faisait la morale et qui s'inquiétait pour elle… c'était le monde à l'envers !

De son côté, Danny ne pouvait pas piffer Charlotte, « la morveuse », comme il l'appelait. Il savait bien que, dès qu'il avait le dos tourné, elle essayait de monter la tête à sa sœur contre lui – lui qui les avait recueillies toutes les deux, quand leur cinglée de mère s'était retrouvée à Bedlam. Ah ça, il était bien payé de sa course ! Rendez donc service aux gens, tiens ! Parfois, Charlotte lui portait tellement sur les nerfs qu'il lui donnait une bonne correction. Mais ça ne servait à rien : dans ces cas-là, la sale mioche prenait la tangente pendant deux ou trois jours mais elle revenait toujours dans les jupes de sa sœur, encore plus teigneuse qu'avant. Un jour, il regarda Charlotte avec un autre œil et se dit qu'elle pourrait peut-être commencer à se rendre utile, elle aussi – d'autant que Lizzie commençait à être sérieusement esquintée…

Charlotte ne sut jamais vraiment comment elle comprit – l'instinct de survie, sans doute. Mais une nuit, elle se réveilla en pensant que Liz était fichue de toute façon, que rien ne la ramènerait à la raison et qu'il fallait qu'elle se tire d'ici, elle, Charlotte, avant de finir comme sa sœur. Ou comme n'importe laquelle de ces autres filles du pavé, transformées en moutons par la misère, le gin et les mauvaises rencontres. Charlotte avait cerné le problème : pour être libre, il fallait arrêter d'être une fille. Bien décidée à se débrouiller seule et à ne plus rien devoir à personne, elle chaparda quelques vêtements de garçon : une veste, un pantalon, une écharpe, une casquette et hop, le tour était joué : Charlotte était devenue Charlie, un gamin des rues comme tant d'autres.

Elle était futée, Charlie, et avait de l'aplomb à revendre ; très vite, elle devint une experte en débrouille, petits larcins et combines diverses. Elle se sentait protégée dans sa panoplie de garçon – et puis, comme ça, cette racaille de Danny ne risquait pas de la reconnaître, si jamais ils se croisaient, un soir, dans une rue de l'East End. C'est à cette époque qu'elle se mit à rendre visite à sa mère, à Bedlam. Annie Jones ne posa aucune question quand sa petite fille lui apprit qu'elle était désormais un garçon et que c'était bien mieux comme ça. Liz ? Non, elle n'avait pas de nouvelles – mais il n'y avait sûrement pas à s'en faire. Une fille comme Lizzie, solide et la tête sur les épaules, sûr qu'elle n'avait rien à redouter de la vie.

Un jour d'octobre, Charlie apprit que Liz avait quitté Londres pour Manchester – ou Liverpool, les autres filles n'étaient pas sûres. Ce qui était sûr, c'est qu'elle était partie avec Danny. Ce soir-là, Charlie versa quelques larmes – puis elle se souvint que les garçons ne pleurent pas. Mais le lendemain elle s'octroya un sac de friandises supplémentaires chez Bardens, histoire de faire passer la pilule.

Le temps passa, lui aussi. Devenue une virtuose de la discrétion, Charlie faisait tout pour ne pas se faire remarquer : pour vivre heureux, vivons caché, se disait-elle parfois, en pensant qu'elle aurait quand même bien aimé avoir des potes avec qui parler – des gens sur qui compter et qui ne vous laisseraient jamais tomber.

Malgré ses efforts pour se faire invisible, elle avait attiré l'attention de quelqu'un – quelqu'un qui savait ouvrir l'œil et disparaître dans les coins d'ombre, lui aussi. A cette époque, Charlie vivait dans la cale d'une épave de péniche, sur la Tamise ; ça puait un peu, mais elle s'y sentait en sécurité. Un soir, elle allait s'endormir quand trois coups sourds la firent sursauter.

– Salut ! dit l'intrus, un type un plus vieux qu'elle – et vraiment plus grand – la casquette de travers et l'air plutôt fier de lui.

– Qu'est-ce que tu fous là, l'échalas ? Tu vois pas que t'es chez moi ? Dégage de ma coque !

– C'est bien toi, Charlie ? Je viens juste te dire qu'un flic du quartier a repéré ton manège, rapport aux tourtes que tu choures régulièrement à l'étal du vieux Mullins… Même qu'il a prévu de te choper la main dans le sac, la prochaine fois…

Charlie était assez énervée – mais elle était surtout vexée. Elle était pourtant certaine d'être devenue le chapardeur de tourtes le plus habile de tout l'East End… Décidément, sa gourmandise la perdrait. Mais pas question de se retrouver en taule pour une tourte…

De son côté, le type à la casquette continuait son laïus :

« Je m'appelle Wiggins et je viens te proposer… un boulot honnête. Je bosse pour monsieur Sherlock Holmes, le célèbre détective, si ça te dit quelque chose. J'ai déjà une bonne équipe, mais on cherche toujours de nouveaux talents et t'es plutôt doué dans ton domaine.

– Pourquoi il aurait besoin de moi, ton détective ? Il a pas de quoi se payer des tourtes ? Allez, casse-toi et laisse-moi pioncer ! »

Le lendemain, quand elle rendit visite à sa mère, Charlie lui rapporta cette curieuse rencontre, sans doute parce qu'elle n'avait pas grand-chose d'autre à lui raconter et que sa mère lui avait encore demandé des nouvelles de sa sœur. Puis, en sortant de Bedlam, elle se dit qu'elle n'avait finalement rien à perdre. Ce Wiggins avait parlé d'une équipe… il y aurait peut-être un ou deux gars sympas dans le lot. Ça pouvait être marrant, de jouer les… comment déjà ? Ah oui, les francs-tireurs de Baker Street !

Un peu plus tard, Charlie se retrouva à Baker Street avec Wiggins, pour la présentation des références, comme il disait. C'est là qu'elle fit connaissance avec le fameux détective – et avec sa logeuse, Mme Hudson, qui faisait les meilleurs scones qu'elle ait jamais mangés de toute sa vie. Et comme les scones se gardent bien, elle en chipa deux ou trois pour sa mère, la femme de Bedlam.

MALFRATS ET MALFAITEURS

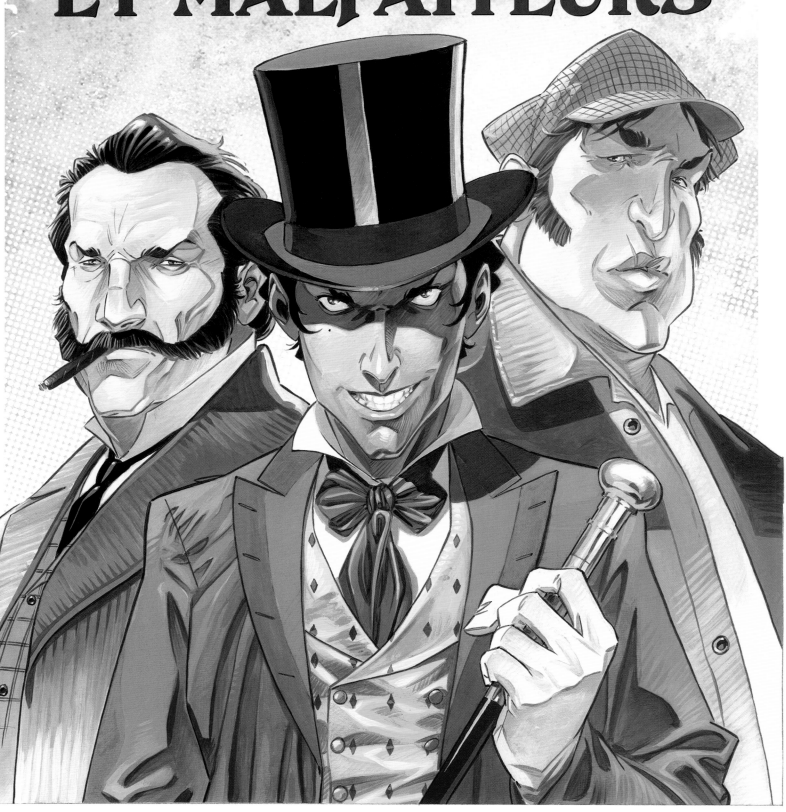

C omme toutes les grandes métropoles, Londres possède une importante communauté criminelle. Les Victoriens bien-pensants associent spontanément le monde du crime aux quartiers mal famés et à leur faune – prostituées et souteneurs, détrousseurs, arnaqueurs, chapardeurs et autres petits voleurs ; ce n'est pas un hasard si, en anglais, le mot *underworld* (« le monde d'en bas ») peut désigner à la fois les enfers, les bas-fonds et la classe criminelle…

La vérité est que crimes et criminels sont présents à tous les étages de la société, y compris dans ses couches les plus élevées – songeons, par exemple, au gentleman qui ruine ses adversaires en trichant aux cartes, au maître chanteur qui exploite les secrets de famille du grand monde ou à ces clients fortunés du Rideau bleu auxquels la redoutable Mme Sharpe compte livrer la malheureuse Betty… Et que dire de ce John Clay, dont Holmes contrecarre les projets dans la mémorable affaire de *La Ligue des rouquins* ? Voici le portrait qu'en dresse le grand détective : « John Clay, assassin, voleur, faussaire, faux-monnayeur. C'est un homme jeune […] et cependant il est à la tête de sa profession. […] Un type remarquable, ce John Clay ! Son grand-père était un duc royal ; lui-même a fait ses études à Eton et à Oxford. »

À cela s'ajoute une pègre plus ou moins organisée, occupée à « faire des affaires » (rackets, trafics et autres entreprises lucratives). Dans *Le Rossignol de Stepney*, nous rencontrons un de ces entrepreneurs du crime en la personne d'Harry Sykes, le patron de Bloody Percy, ex-policier corrompu, Sykes était devenu pour un temps le nouveau boss de l'East End, avant d'être finalement arrêté par son ancien collègue, le tenace et intègre inspecteur Lestrade.

Enfin, au sommet de la « haute pègre », nous trouvons des individus aussi insoupçonnables et intouchables que le professeur Moriarty et son âme damnée, le colonel Sebastian Moran.

Sortons Armés !

Les gentlemen victoriens qui, pour toutes sortes de raisons, sont amenés à s'aventurer dans les quartiers les plus dangereux de Londres prennent souvent la précaution de sortir armés – avec, par exemple, une canne plombée, une canne-dague (l'arme de Bloody Percy !), voire une canne-épée ou, plus simplement, une petite matraque de poche en cuir lesté. Il existe également des pistolets miniatures et une multitude d'ingénieuses inventions : pistolets-coups-de-poing (mélange de pistolet et de coup-de-poing américain), cannes-pistolets… ou cet improbable collier de cuir hérissé de pointes destiné à être discrètement porté sous le col de chemise, afin de se protéger des étrangleurs rôdant dans les rues sombres de Londres.

Craqueurs & Monte-en-l'air

De tous les métiers criminels, c'est sans doute celui de cambrioleur qui enflamme le plus l'imagination des lecteurs victoriens ; du « monte-en-l'air » capable d'escalader n'importe quelle muraille et de se faufiler sans bruit dans de respectables demeures au « craqueur » spécialisé dans le perçage de coffres-forts, le cambrioleur inquiète et fascine. Véritable artisan, le cambrioleur professionnel a à sa disposition tout un assortiment d'outils de travail des plus pittoresques : pinces-monseigneur et chignoles pour le gros œuvre, « rossignols » permettant de crocheter les serrures, mastic et diamant de vitrier pour découper les carreaux de fenêtres, petites boîtes de cire permettant de prendre rapidement l'empreinte d'une clé…

LE GRAND MONDE

Dans l'Angleterre du XIXe siècle, les barrières sociales sont, tout simplement, infranchissables. Position, éducation, droits et devoirs : tout est une question de classe. En dehors de quelques exceptions (qui font toujours scandale), les différentes classes sociales ne se mélangent jamais. La société victorienne ne croit pas à l'égalité, mais au breeding, c'est-à-dire à la naissance et aux privilèges naturels qu'elle confère.

Au sommet de la pyramide se trouvent les grands aristocrates, qui mènent pour la plupart une existence dorée. C'est à ce monde qu'appartient l'illustre famille des Asprey, que rencontrent nos héros dans *Le Rossignol de Stepney…* une rencontre qui ne manquera d'ailleurs pas de susciter l'effroi scandalisé de lady Asprey et la colère du terrible sir Charles, l'oncle de lord Neville.

Pour les jeunes hommes comme lord Neville Asprey, la voie est toute tracée : une éducation à la prestigieuse école d'Eton, puis un passage obligé par les universités d'Oxford ou de Cambridge, où beaucoup d'entre eux suivent leurs études avec insouciance, voire avec désinvolture… et ensuite, une vie faite de fastes et de distractions, rythmée par le calendrier de la *social season* : une première moitié de l'année à Londres, puis, l'été venant, repos dans quelque grande demeure familiale à la campagne. Il est évidemment impensable de songer à travailler – sauf peut-être dans les hautes sphères du pouvoir.

Les choses se compliquent quelque peu lorsque la fortune familiale est menacée à cause de dettes de jeu, d'investissements malencontreux ou de dépenses extravagantes. De fait, de nombreux aristocrates vivent bien au-dessus de leurs moyens, ce qui aboutit parfois à de véritables paradoxes sociaux.

Voici, par exemple, ce que déclare Sherlock Holmes au docteur Watson dans *Le Traité naval*, juste après leur rencontre avec lord Holdhurst, homme d'État et « futur Premier ministre d'Angleterre » : « Il est loin d'être riche, et il a beaucoup de besoins. Vous avez sans doute remarqué que ses souliers ont été ressemelés ? »

La *upper class* a, elle aussi, sa propre hiérarchie : un sir n'est pas un lord, un baronnet n'est pas un duc et on ne saurait mettre dans le même panier la gentry de la campagne et les grandes familles du royaume. Nul n'est censé ignorer ces distinctions et tout gentleman se doit de posséder un exemplaire du *Debrett's Peerage*, ouvrage de référence recensant les titres, honneurs et biographies des membres de l'aristocratie. Sherlock Holmes lui-même a souvent recours à ce précieux *Who's Who*.

Le monde de l'aristocratie compte bien évidemment son lot d'excentriques, de noceurs et d'aventuriers, mais gare à ceux qui osent outrepasser les limites, car ils risquent fort de se retrouver mis au ban de cette bonne société qu'ils ont osé défier. C'est le prix que devra payer lord Neville pour son mariage avec la jolie Grace Corbett, une « vulgaire » chanteuse de cabaret : pour vivre cet amour, il devra s'exiler en Italie, loin de ce grand monde où il est désormais *persona non grata*.

Upstairs & Downstairs

Les grandes demeures victoriennes forment, elles aussi, un monde à part – ou plutôt deux mondes, qui dépendent l'un de l'autre mais ne se mélangent jamais : celui des maîtres et celui des domestiques, traditionnellement désignés par les termes *upstairs* (en haut de l'escalier) et *downstairs* (en bas de l'escalier, là où se trouve l'office). Entièrement vouée au service des gens d'en haut, la vie des gens d'en bas est, elle aussi, soumise à une stricte hiérarchie : pas question de confondre le simple *footman* (valet de pied) avec le valet personnel de Monsieur, ou une petite bonne avec la femme de chambre de Madame. Au sommet de l'échelle se trouve le *butler* (majordome), qui sert d'intermédiaire avec le monde d'en haut et dirige la domesticité avec la même autorité et les mêmes responsabilités qu'un capitaine de navire.

DISTRACTIONS
ET PLAISIRS

Si Paris reste LA capitale de la fête et la ville de toutes les folies, Londres a, elle aussi, beaucoup à offrir en matière de divertissements et de distractions nocturnes, des quartiers chics du West End aux bas-fonds de l'East End. Les trois piliers de ce *London by Night* sont le spectacle, le jeu et ce que nous désignerons sous l'élégant euphémisme de « plaisir ».

THÉÂTRES & MUSIC-HALLS

Près de trois siècles après William Shakespeare, le théâtre anglais connaît, à l'époque victorienne, un nouvel âge d'or. Loin d'être réservé à une élite, le théâtre victorien s'adresse à un large public – mais il y a évidemment tout un monde de différence entre les salles populaires de l'East End et les prestigieuses scènes du West End comme le Lyceum (où se produit le plus célèbre acteur de l'époque, Henry Irving, premier membre de sa profession à avoir été fait chevalier par Sa Majesté la reine !) ou le Savoy (le premier théâtre au monde entièrement éclairé par l'électricité !). Le répertoire y est extrêmement varié, allant des grands classiques (indémodable Shakespeare !) aux « nouvelles pièces » controversées, en passant par ces mélodrames dont le public est si friand ! Les années 1890 verront le triomphe d'un des plus grands dramaturges du temps – un certain Oscar Wilde…

L'ère victorienne est aussi la grande époque du music-hall – avec, là encore, un véritable fossé social entre les « théâtres musicaux », jugés fréquentables par la bonne société, et les cabarets tapageurs ou miteux des quartiers populaires. L'East End possède ainsi de nombreux établissements comme le Merry Minstrel du *Rossignol de Stepney*, où artistes et spectateurs reprennent en chœur romances sirupeuses, refrains populaires et chansons burlesques, voire scabreuses.

Les rois incontestés de la scène victorienne populaire sont les indétrônables Gilbert & Sullivan, duo d'auteurs d'opéras comiques au succès proprement extraordinaire, comme *Les Pirates de Penzance* ou *Le Mikado* (qui connut 672 représentations consécutives sur la scène du Savoy !).

TABLES DE JEU & MAISONS CLOSES

Le jeu est, sans doute, l'autre grande distraction des Londoniens de toutes classes sociales : des joueurs de bonneteau, combats de chiens et tripots clandestins des bas-fonds aux prestigieux cercles de jeu des beaux quartiers, en passant par ces discrètes *gambling houses* où se croisent joueurs invétérés, tricheurs sans scrupules et pigeons prêts à se faire plumer…

Les Victoriens prennent le jeu très au sérieux ; pour un gentleman incapable d'honorer ses dettes de jeu, le suicide est considéré comme la seule porte de sortie honorable… et se faire prendre en flagrant délit de tricherie dans un cercle respectable équivaut à une véritable mort sociale.

On peut gagner ou perdre des fortunes aux cartes, qui sont souvent une confortable source de revenus pour des individus comme le colonel Sebastian Moran, bras droit du professeur Moriarty.

Aucun tour d'horizon des plaisirs nocturnes qu'offre Londres ne serait complet sans une mention de ses maisons closes : les sordides « maisons d'abattage » des quartiers miséreux, les discrets établissements à la clientèle *middle class* et les bordels chics pour gentlemen connaisseurs, comme le Rideau bleu de Mme Sharpe, l'impitoyable mère maquerelle qu'affrontent nos héros dans le premier tome de leurs aventures…

AGITATEURS ET AGENTS TROUBLES

Marqué par la révolution industrielle, le XIXe siècle est aussi le siècle des révolutions tout court. En France, la révolution de 1848 a fait souffler à travers l'Europe un vent de liberté et d'insurrection ; un peu partout, les barricades se dressent, la poudre parle et les esprits s'enflamment.

La révolution souffle également dans les livres : 1848 est l'année où paraît *Le Manifeste du Parti communiste* ; près de vingt ans plus tard, un de ses auteurs, le penseur allemand Karl Marx, enfonce le clou avec le premier tome de son *Kapital*.

Si elle semble épargnée par la grande tempête révolutionnaire, l'Angleterre victorienne joue en fait un rôle primordial dans ce siècle des révolutions : ainsi, c'est à Londres, en 1864, qu'est fondée l'Association internationale des travailleurs, plus connue sous le nom de Première Internationale. En 1871, la Commune de Paris est écrasée dans le sang… mais le rêve d'une révolution des « prolétaires de tous les pays » a pris corps. L'Histoire est en marche et rien ne saurait l'arrêter.

À côté des drapeaux rouges des partisans de la révolution prolétarienne se dressent bientôt les drapeaux noirs des anarchistes, qui, en ce XIXe siècle finissant, vont devenir les ennemis déclarés de la société, terrorisant l'opinion publique ; en 1892, en France, c'est en chantant que le célèbre poseur de bombes Ravachol montera à la guillotine.

CONSPIRATEURS & COMPAGNIE

L'Empire russe n'est évidemment pas épargné par ce vent de révolution. Dans la Russie des tsars, tout frémissement de contestation est impitoyablement écrasé. Pour échapper à l'emprisonnement ou à la mort, les opposants au régime sont souvent contraints de se réfugier à l'étranger. Londres, la plus grande ville du monde, devient alors tout naturellement un point de ralliement pour ces exilés politiques.

Cette situation ne tarde pas à attiser les tensions entre la Russie et le Royaume-Uni, qu'oppose déjà, en Asie, ce qu'on appelle alors le Grand Jeu, véritable guerre d'influence coloniale entre les deux empires. Pour les dirigeants de l'Okhrana, la sinistre police secrète russe experte en complots, le gouvernement de Sa Majesté chercherait délibérément à faire de Londres une véritable terre d'asile pour les ennemis du tsar, qui peuvent ainsi fomenter leur future révolution en toute tranquillité… En agissant ainsi, les autorités anglaises espèrent peut-être aussi dissuader les dresseurs de barricades et les poseurs de bombes de s'en prendre au pays qui les a accueillis. La communauté révolutionnaire de Londres devient alors le théâtre de ténébreuses intrigues où se croisent agents secrets, agents doubles et agents provocateurs…

LE COMPLOT RABOUKINE

C'est cette situation complexe qui sert de toile de fond à la redoutable machination montée par l'Okhrana contre le révolutionnaire Victor Raboukine – une machination dans laquelle nos francs-tireurs de Baker Street se retrouveront impliqués bien malgré eux du fait de leur rencontre avec la courageuse Katia Ivanovna (voir *Le Dossier Raboukine*).

Mais les manipulations et les coups tordus de l'Okhrana n'y changeront rien, comme le prophétise un des compagnons de Raboukine avant de mourir sous la torture : « Dites-le à votre tsar : son régime tyrannique ne survivra pas au prochain siècle… »

Tout héros digne de ce nom a besoin d'un ennemi juré à sa mesure… Dans le cas de Sherlock Holmes, cet ennemi n'est autre que le diabolique professeur Moriarty, le plus grand cerveau criminel de toute l'époque victorienne !

Tout comme Holmes, Moriarty est un esprit génial – mais il a choisi de mettre son génie au service de sa cupidité et de sa soif de pouvoir. Comment un brillant mathématicien, promis à la plus prestigieuse des carrières académiques et auteur d'un traité visionnaire sur *La Dynamique d'un astéroïde*, a-t-il pu devenir le plus grand maître criminel de son époque ?

Dans *Le Dernier Problème*, Sherlock Holmes retrace brièvement le parcours du professeur : « […] selon toutes les apparences, son avenir s'annonçait brillant. Mais son sang charriait des instincts diaboliques, criminels. Au lieu de les combattre, il leur a permis de s'épanouir, et son extraordinaire puissance mentale s'est mise à leur service. Dans sa ville universitaire, des bruits fâcheux commencèrent à courir ; il dut démissionner de sa chaire et descendit à Londres où il s'établit en qualité de professeur préparant à l'École militaire. »

C'est sans aucun doute à Londres que James Moriarty s'acoquine avec des membres de la haute pègre et qu'il commence véritablement sa carrière de génie criminel – mais comme l'indiquent les explications de Holmes, l'homme était déjà marqué par le Mal, et l'on ne peut que s'interroger sur la nature de ces « bruits fâcheux » et autres « noires rumeurs » qui coûtèrent au professeur sa chaire universitaire…

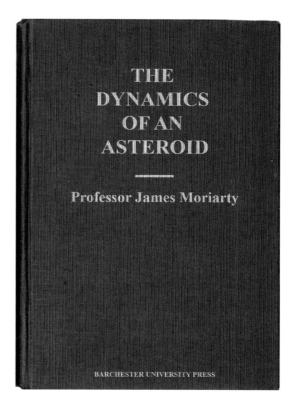

THE
DYNAMICS
OF AN
ASTEROID
—
Professor James Moriarty

BARCHESTER UNIVERSITY PRESS

LE NAPOLÉON DU CRIME

Lorsqu'il mentionne pour la première fois au docteur Watson l'existence du machiavélique Moriarty, Holmes le surnomme « le Napoléon du crime » – une appellation qui, dans la bouche d'un Anglais du XIXe siècle, a une saveur toute particulière… Comme le célèbre conquérant français, Moriarty a des rêves de grandeur, ne s'avoue jamais vaincu… et règne sur un empire – un empire criminel, dont le cœur invisible se trouve à Londres et qui s'étend, comme une toile d'araignée, bien au-delà de l'Angleterre.

Au centre de cette toile, Moriarty échafaude ses plans et ses machinations, invisible et inconnu, planifiant ses prochains coups, le plus souvent sans quitter son fauteuil. Comme l'explique Holmes au docteur Watson dans *Le Dernier Problème*, Moriarty « agit rarement par lui-même. Il se contente d'élaborer des plans. Mais ses agents sont innombrables et merveilleusement organisés ».

Moriarty & Holmes

Le génie de Moriarty lui a également permis d'entourer ses entreprises criminelles d'un réseau de protections et de relations qui le rendent intouchable (et même insoupçonnable) par les autorités ; seul Sherlock Holmes parviendra à le débusquer et à le démasquer, sans pouvoir cependant réunir les preuves qui pourraient amener le diabolique professeur devant la justice. Moriarty découvre alors qu'il a un adversaire à sa mesure et, bientôt, le défi est lancé.

Commence alors entre les deux hommes une terrible partie d'échecs, qui s'achèvera de façon dramatique en haut des chutes du Reichenbach…

Toute l'arrogance du personnage transparaît dans les paroles qu'il adresse à Holmes, lors de leur premier face-à-face : « Votre développement frontal n'est pas aussi accentué que je me l'étais imaginé… » Il énumère ensuite les différentes dates auxquelles Holmes s'est (parfois sans le savoir lui-même) mis en travers de ses plans, avant de conclure : « Vous ne me vaincrez jamais. Si vous êtes assez fort pour me détruire, soyez assuré que je vous en réserve autant. » Tout est dit…

Le Colonel Moran

Aucun portrait du professeur Moriarty ne serait complet sans une mention de son bras droit et exécuteur personnel : le redoutable colonel Sebastian Moran. Ancien officier de l'armée des Indes, chasseur de gros gibier (avec une prédilection pour les tigres) et joueur invétéré, Moran jouit, aux yeux de la société, d'une réputation sans tache… alors même que les notes de Sherlock Holmes décrivent déjà ce tireur d'élite comme « le deuxième homme le plus dangereux de Londres ».